DR JEAN DROUIN

GUÉRIR SA VIE

DR JEAN DROUIN

GUÉRIR SA VIE

Les six clés essentielles
pour gérer sa santé

Le Dauphin Blanc
Groupe Leader Média

Catalogage avant publication de Bibliothèque et Archives Canada
Drouin, Jean, 1948-
Guérir sa vie : les six clés essentielles pour gérer sa santé
Comprend des réf. bibliogr.
ISBN 2-89436-134-3
1. Médecine intégrative. 2. Habitudes sanitaires. 3. Guérison. I. Titre
R733.D76 2006   615.5   C2006-940238-8

Nous reconnaissons l'aide financière du Gouvernement du Canada par l'entremise
du programme d'aide au développement de l'édition (PADIÉ) pour nos activités d'édition.

Nous remercions la Société de Développement des Entreprises Culturelles du Québec
(SODEC) pour son appui à notre programme de publication.

Révision linguistique : Jocelyne Vézina
Structuration des textes : Lucie Douville
Infographie : Caron & Gosselin
Mise en pages : Infoscan Collette, Québec

Éditeur :   Les Éditions le Dauphin Blanc inc   Groupe Leader Média inc.
              C.P. 55, Loretteville, Qc, Canada G2B 3W6   4020, Charles A. Roy
              Tél. : (418) 845-4045 Fax : (418) 845-1933 Cap-Rouge, Qc G1Y 3T8
              Courriel : dauphin@mediom.qc.ca
              Site web : www.dauphinblanc.com

ISBN : 2-89436-156-4
Dépôt légal : 1er trimestre 2006
              Bibliothèque Natiuonale du Québec
              Bibliothèque Nationale du Canada

TABLE DES MATIÈRES

AVANT-PROPOS

Ce livre n'est pas un livre de médecine ni de thérapie. Il se veut surtout un guide sur une philosophie que je vous suggère d'introduire dans votre vie. Les propos tenus vous amèneront dans cet univers de la vie et de la guérison où tout est possible. Je veux remercier les membres de ma famille pour le respect et le soutien durant toutes ces années nécessaires à l'intégration du concept «Guérir sa vie»: ma conjointe Mado et mes enfants, Philippe et Mylène.

Merci également à Carol Vachon pour ses précieux conseils en nutrition.

Enfin, merci à Lucie Douville et à Alain Williamson pour leur disponibilité et leur collaboration.

INTRODUCTION

Je n'ai pas vraiment choisi une carrière en médecine. C'est plutôt la médecine qui m'a choisi.

D'aussi loin que je me souvienne, je voulais devenir musicien. À l'âge de quinze ans, lorsque mon père est décédé, la musique est devenue pour moi la « médecine » qui allait m'aider à guérir mon âme blessée par cette perte, survenue beaucoup trop tôt dans ma vie. Comme une amie fidèle, elle me permettait de m'évader de la lourdeur de ce deuil jamais résolu par ma mère face à la mort de mon père. Elle m'offrait aussi une avenue d'expression parfaite pour vivre mon adolescence, qui était à cette époque en pleine effervescence. Comme j'avais étudié le piano et la guitare durant une dizaine d'années, je m'en tirais plutôt bien avec ces deux instruments.

Une fois mon cours classique terminé et mes deux années au cégep complétées, l'heure du choix de carrière avait sonné. D'emblée, j'annonçai mes couleurs : j'optais pour une carrière musicale. Mais comme ma mère était influente et moi respectueux, la musique fut remisée au placard des regrets et je m'orientai vers une carrière en médecine ! Abandonner ma passion pour la musique fut un choix déchirant qui laissa une blessure profonde dans mon âme. Il me fallut de nombreuses années avant d'y revenir.

Plutôt avantagé intellectuellement, je n'ai pas eu de difficultés à compléter mon cours en médecine qui s'avérait, somme toute, intéressant et fort enrichissant. Malgré la multitude de connaissances acquises durant mes années d'études, je devais toutefois reconnaître que certaines questions restaient sans réponses. Pourquoi les gens tombent-ils malades ? Pourquoi l'un est-il en santé et l'autre pas ? Tous ces questionnements contribuaient à nourrir en moi le désir de comprendre la santé au-delà de ce que l'on m'enseignait.

Ce que j'ignorais à cette époque, c'est que si la faculté de médecine m'avait enseigné la maladie, la vie allait m'enseigner la santé.

Je fus reçu médecin en 1973. Lors de ma deuxième année de pratique, le destin m'amena à m'intéresser à d'autres formes de thérapies, à m'ouvrir à d'autres concepts sur la manière de soigner. Durant les années qui suivirent, j'étudiai les fondements de la médecine chinoise ainsi que différentes médecines alternatives et complémentaires telles que l'acupuncture, les nouvelles approches psychothérapeutiques de l'époque – l'analyse transactionnelle, la gestalt – l'ostéopathie, l'homéopathie et les médecines de tradition pratiquées par les sages amérindiens.

Toutes les connaissances acquises au cours de ces années faisaient de moi un médecin de plus en plus complet. Je me sentais mieux outillé pour venir en aide à mes patients. Mais surtout, ces nouvelles connaissances jumelées à celles que la médecine officielle m'avait inculquées me permettaient d'avoir une vision élargie de la santé. Ainsi naquit le concept de santé globale «Guérir sa vie» que j'utilise aujourd'hui avec mes patients devenus des clients. Ayant réussi à enrichir ma pratique médicale, j'obtiens des résultats étonnants avec celles et ceux qui ont choisi consciemment de prendre leur santé en mains.

Ce concept de santé globale est simple. Il est basé sur les six facettes qui influencent la santé de l'être humain : l'alimentation, le stress, le mouvement, l'environnement, la spiritualité et la génétique. Lorsqu'un individu parvient à équilibrer adéquatement ces six facettes selon les périodes dans sa vie, il maximise ses chances d'être en bonne santé ou encore il favorise le rétablissement d'une santé déficiente. La beauté du concept, c'est qu'il permet à chacun d'être autonome face à la gestion de sa santé, ou du moins d'avoir le sentiment de participer à l'édification ou à la restauration de sa santé. Avant tout, le concept de «Guérir sa vie» replace l'être humain au cœur même de sa vie.

«Guérir sa vie» n'a pas été bénéfique que pour mes clients. Il fut aussi salutaire pour moi. La découverte et la mise en application de ce concept m'a permis de trouver un sens à ma pratique médicale, d'identifier ma «mission» dans la vie : intégrer l'art à la médecine afin de favoriser la santé et la guérison. Graduellement, j'ai découvert combien le rire, la création, la musique étaient bénéfiques à l'être humain, participant à son équilibre et à sa santé. Ah! cette chère musique… Elle revenait enfin dans ma vie, me permettant de renouer avec ma passion de toujours.

Oui, je crois que la médecine m'a choisi. Et aujourd'hui je peux dire: heureusement! Je ne regrette aucunement une hypothétique carrière musicale. J'ai l'agréable sensation de participer à quelque chose de Grand. Je comprends aujourd'hui que ma destinée devait se réaliser par la médecine.

Le livre que je vous offre aujourd'hui présente le concept de santé globale tel que je l'utilise quotidiennement. Je l'ai voulu simple et à la portée de tous afin de favoriser l'intégration de ce concept dans votre vie. Si ce livre peut vous aider à maintenir, à améliorer et même à restaurer votre santé et contacter une parcelle de votre âme, je serai largement récompensé de mon travail. Il vous restera simplement à raffiner ce concept, à l'adapter, à le conserver vivant et en mouvement afin qu'il devienne un outil personnalisé.

Guérir sa vie, c'est retrouver sa véritable nature dans toute sa noblesse et dans toute sa grandeur. C'est une quête qui en vaut la peine, peut-être la seule qui compte vraiment... la quête de soi.

Bon cheminement vers votre santé globale.

Jean Drouin

CHAPITRE 1

Le principe « Guérir sa vie »

Parcelles de vie

Il est six heures du matin. Aujourd'hui, c'est le grand jour !

C'est ma toute première journée de consultation. Bien que je sois heureux de pouvoir enfin exercer mon rôle de médecin, une certaine crainte s'empare de moi : « Suis-je prêt ? Est-ce que je sais tout ? » Comme le bureau ouvre ses portes à 9 heures, je m'empresse de remplir une valise avec mes livres de recettes médicales les plus à jour, au cas où...

Médecin de campagne

Le soleil de juillet vient chasser l'ombre que ces inquiétudes ont fait naître en moi et j'entre officiellement dans mon premier cabinet de pratique médicale situé à Saint-Fabien-de-Rimouski. Après une solide formation médicale de cinq ans, je devrais sûrement être armé jusqu'aux dents pour sauver l'humanité souffrante. Qu'à cela ne tienne, je suis médecin de campagne près des gens et déjà je réalise un grand rêve au cœur même de ma région natale, le Bas-Saint-Laurent.

Il est 9 heures. Je vais chercher le premier client dans la salle d'attente et je m'assois confortablement dans cette chaise de «docteur» qui domine la situation, faisant paraître mon client tellement plus petit qu'il ne l'est en réalité. Comme la vie est bonne pour moi, cette personne ne présente qu'un simple mal de gorge. Pendant la consultation, la secrétaire me transmet en urgence l'appel d'une dame en détresse. Son mari vient de respirer accidentellement du «poison à rat». Que faire? Afin de me donner le temps de réfléchir, je lui réponds tout simplement «Ah bon!». Comme les centres antipoison n'existent pas encore, mon cerveau analytique se met rapidement en mouvement. «Que contient le poison à rat?». N'ayant aucune source d'information sous la main, je propose à la dame de laisser son mari au repos et de l'observer. *Si quelque chose ne va pas, rappelez-moi!*», lui dis-je calmement. Heureusement, elle ne m'a pas rappelé…

Dans la même journée, un client se présente à moi en affirmant avoir été guéri d'un cancer par un médecin de la région. En parcourant son dossier, je vois que cette personne consulte régulièrement pour toutes sortes de problèmes: fatigue, «bleus de l'âme», etc. Une note inscrite au dossier attire mon attention. Alors qu'il venait voir le médecin en question pour une grippe et ce dernier trouvant qu'il consultait beaucoup trop souvent pour de simples petits maux, il lui a dit qu'il avait un cancer (ce qui était faux) et qu'il allait le traiter avec des «sérums vitaminés» à domicile. Après avoir fait part de cette information à mon patient, il m'a répondu spontanément: «Mon jeune, tu devrais retourner aux études. Le docteur avant toi m'a guéri et je vais mieux depuis que mon cancer est guéri… ».

Tout ceci me laisse songeur sur la formation médicale que je viens à peine de terminer. Si le rôle du médecin est d'aider la personne à guérir, quelles sont les clés de cette guérison? Existe-t-il autant de clés qu'il existe d'individus? Ma formation médicale me permet-elle de solutionner tous les problèmes de santé que je vais rencontrer? Incapable de trouver des réponses à toutes ces questions, je conclus en me disant que j'aurais peut-être mieux fait de suivre ma première idée et devenir musicien…

Soigner ou guérir?

Les jours se succèdent et je réalise que l'on m'a appris à soigner scientifiquement, mais pas à guérir. On m'a appris que je ne pouvais tenir pour vrai que ce qui est mesurable, quantifiable et scientifiquement prouvé. Je réalisais pourtant qu'une partie importante de la guérison était reliée directement à la personne elle-même. L'humain étant considéré par la science comme un élément non mesurable, la guérison devenait par le fait même inexplicable.

Je réalisais aussi que le médecin de campagne est au cœur de la vie du village. Il doit tenir la main du mourant, soutenir la famille en deuil et intervenir devant la violence et les chicanes de famille. De plus, il est « docteur » tout le temps: au bureau de poste, à l'église, à l'aréna ou dans la rue. Étais-je vraiment prêt à vivre une telle aventure?

Durant cette première année, j'ai aussi accompagné des femmes lors de leur accouchement à l'hôpital: épidurale, épisiotomie, monitoring… Le grand luxe quoi! Mais parmi les nombreuses questions que ma jeune pratique faisait naître en moi, il en est une autre qui m'interpellait de plus en plus : « Quelle place donne-t-on à l'être humain au milieu de tous ces protocoles ? ». Après chaque accouchement, en recevant le merci et le traditionnel cigare, je me disais qu'il devait bien y avoir un moyen d'humaniser l'accouchement, lequel est en train de devenir de plus en plus interventionniste et technique. Rares sont les émotions qui peuvent transparaître derrière ces masques chirurgicaux et toute cette technique qui nous éloigne de la vie, la vraie...

Médecin enseignant

Un an plus tard, le destin m'oriente vers un poste de médecin enseignant à l'unité de médecine familiale du Centre hospitalier de l'Université Laval (CHUL). Ma formation médicale ayant laissé un pauvre héritage en psychothérapie, ma première tâche au CHUL m'amène à suivre quelques formations dans ce domaine : analyse transactionnelle[1], gestalt et bioénergie. Je réalise alors que si je veux vraiment travailler au niveau de la guérison, je dois ajouter de nouvelles cordes à mon arc.

Curieux de nature et de plus en plus convaincu que la guérison est en fait le fruit d'un judicieux mariage entre différentes approches, lesquelles ne sont pas toutes tributaires de l'Occident, je choisis d'explorer les approches développées

---

1   Selon la théorie de l'analyse transactionnelle, les êtres humains utilisent trois niveaux « Enfant-Adulte-Parent » dans leurs rapports humains et comme pour tout ce que nous vivons, l'équilibre est de mise. Si l'être humain fonctionne toujours dans le mode « Enfant » c'est la passion qui le guide constamment dans la gestion de son lot de problèmes, si c'est « l'Adulte » c'est le mode rationnel qui prime, alors que le « Parent » est toujours dans le commandement. Il s'agit d'une belle façon pour un médecin d'entrer dans le monde de la psychothérapie.

en Orient. C'est pourquoi, à l'automne 1974, je m'inscris à un congrès mondial d'acupuncture où je fais la rencontre d'un grand maître de l'époque, le docteur Van Ghi. Alors que nous sommes à discuter, il me dit tout bonnement : « Ma foi, vous avez les sinus bloqués, je vais vous arranger cela ! ». En moins de temps qu'il ne faut pour le dire, il place deux minuscules aiguilles dans mon oreille gauche et le tour est joué ! Finie l'obstruction nasale ! C'est l'étonnement général. Sans même le savoir, le docteur Van Ghi venait non seulement de décongestionner mes narines, mais mon esprit tout entier respirait tout à coup un air nouveau !

Dès mon retour, je m'empresse de rencontrer les compétences québécoises en la matière et, sous l'œil perplexe du Collège des médecins, je décide de faire certains protocoles de recherche en médecine chinoise : « hypoalgésie et chirurgie mineure », « obésité et acupuncture ». Ces rencontres suscitent en moi un désir insatiable de comprendre les principes qui sous-tendent la guérison. Se succèdent alors de nombreuses formations : médecine chinoise, psycho-énergie, auriculothérapie, auriculomédecine.

Une autre façon de naître

En 1977, je recommence à accompagner les femmes lors de leur accouchement avec la ferme conviction de le faire « différemment ». La méthode Leboyer prône la douceur de vivre la naissance, la pratique hospitalière, elle, est tout autre. À la fin d'une journée exténuante, la réflexion d'une infirmière militante au Centre de Santé des femmes de Québec m'interpelle au plus haut point. Alors que nous venions d'assister un couple et surtout une femme dans ce geste sacré qu'est celui de donner la Vie, elle me dit : « Tu sais, cet accouchement aurait été beaucoup plus **grand** à domicile. ». Bien qu'elle me présente le choix d'accoucher à domicile comme un choix responsable, conscient et éclairé de la part des personnes, pour moi l'accouchement à domicile semble impossible à concilier avec le code de déontologie médical qui demande une pratique rigoureuse et scientifique.

Cette discussion fait à nouveau vibrer en moi le sens profond de ma démarche de guérison dans laquelle l'écoute, le respect et l'action raisonnable sont indissociables. Comme à cette époque l'accouchement à l'hôpital vient à peine de remplacer l'accouchement à domicile, je décide de m'informer sur les mouvements d'humanisation qui existent en Europe. Je discute entre autre avec le docteur Michel Odent, responsable de la maternité de Pithiviers en France, à l'époque chef de file mondial dans le domaine de l'humanisation de la naissance. Un groupe provincial de réflexion est alors formé et des réunions clandestines sont organisées dans le Vieux-Québec. Une énergie incroyable anime ces rencontres composées de personnes qui, tout en respectant la médecine scientifique, veulent avoir la chance de vivre un mélange de « science » et de «patience» lors de l'accouchement.

Nous étudions les méthodes Leboyer (accouchement dans l'eau et ambiance feutrée), Odent et «Spiritual Midwifery», un courant américain d'humanisation de l'accouchement dans un contexte holistique. Les échanges se poursuivent sur les moyens à mettre en place pour permettre aux femmes d'accoucher selon les valeurs auxquelles elles croient, tout en respectant l'aspect scientifique de l'acte. L'autre question qui se pose est de savoir comment sensibiliser les hôpitaux qui deviennent de plus en plus techniques.

Au début de l'hiver 1978, le destin met sur ma route un couple habité par une pensée fortement « antimédicale » et naturiste. Ils me demandent de les accompagner dans un accouchement à domicile. Comme le contrat doit se négocier dans un climat de confiance totale, j'hésite un peu, car je ne suis pas certain que le couple accepterait un transfert à l'hôpital si une urgence venait à se produire. Bien que ce soit difficile pour moi de dire non, je refuse alors de les accompagner.

Quelques jours plus tard, cette même femme m'appelle pour me dire que ses membranes sont rupturées depuis trois jours. Pour moi, c'est l'urgence d'un déclenchement pour un accouchement rapide à l'hôpital. Elle se rend à l'hôpital pour finalement repartir au bout de quelques heures. Son verdict : « Trop médicalisé ! ». Avec une bonne dose de patience, je trouve une place dans un autre hôpital où elle pourra être accompagnée d'une sage-femme. Elle accepte ma proposition. Le lendemain matin, la sage-femme retrouve une note sur la table : « Vous êtes tous trop médicalisés ; merci quand même. » Quelques jours plus tard, nous apprenons que cette femme a accouché en pleine nature d'un enfant qui a connu une souffrance majeure à la naissance ; celui-ci a dû être hospitalisé à l'unité néonatale avec un pronostic d'évolution plutôt réservé.

Cette tragédie me questionne au plus haut point. Comment « guérir » de cette situation ? Abandonner nos démarches visant à humaniser la naissance ? Abandonner l'idée de faire des accouchements à domicile ? Ou comprendre tout simplement qu'il y a des êtres humains qui sont extrémistes ? Comme la colère n'est pas bonne conseillère, je permets à ma tristesse de s'exprimer pour ensuite essayer de comprendre quelle doit être l'attitude juste à adopter.

Je réalise toutefois que mon ouverture d'esprit vers la guérison risque de me décentrer. Je dois donc trouver un moyen pour éviter ceci. La vigilance au niveau du maintien de mon propre équilibre ayant toujours été la trame de fond de mes recherches en guérison, je décide de m'inscrire à un groupe de méditation et je commence à méditer quotidiennement.

À force de réflexion, j'en viens à la conclusion que ma démarche s'orientera dorénavant vers une relation de respect établie entre l'équipe de soins médicaux, la sage-femme et le couple. Comme la relation de confiance se construit sur plusieurs rencontres et que la notion de consentement éclairé est essentielle, nous devons tous nous entendre sur un point : si une situation d'urgence vient à se présenter, il n'est pas question de négocier des heures avant de passer du domicile à l'hôpital.

Nous bâtissons alors un protocole sécuritaire : proximité de l'hôpital, accès à une césarienne d'urgence et une trousse d'urgence d'accouchement à domicile incluant forceps et oxygène. Au-delà de la situation elle-même, nous sommes tous conscients que ce mouvement vise à faire bouger les hôpitaux en vue des chambres de naissance et éventuellement à reconnaître la profession de sage-femme comme faisant partie intégrante de l'acte de la naissance. Nous voulons surtout susciter une intervention juste et non hypermédicalisée, cette dernière étant trop souvent basée sur la peur et l'insécurité.

L'Orient m'oriente

Je n'ai jamais oublié cette rencontre avec le docteur Van Ghi et surtout comment de simples aiguilles ont réussi à améliorer mon état de santé. Je cherche alors au Québec les compétences pour la formation et la recherche en acupuncture. Ma quête m'amène à faire la rencontre de l'acupuncteur Henri Solinas, aujourd'hui décédé, qui avait à l'époque fondé l'Institut Canadien d'acupuncture. Nous décidons ensemble d'entreprendre quelques recherches sur le contrôle de la douleur, les problèmes de poids et le déclenchement de l'accouchement pour les femmes qui ont dépassé la date prévue pour leur accouchement.

Le contact avec cette grande médecine change complètement ma vision de la vie et de la guérison. En médecine chinoise, la notion de globalité est au cœur de toutes les interventions. Pour le médecin chinois traditionnel, l'être humain baigne dans un Tout, entre ciel et terre, et ce Tout est constamment en mouvement. Toujours selon la pensée traditionnelle chinoise, la maladie n'est pas le fruit du hasard ; elle est porteuse de sens. Partir en quête du sens de la maladie, c'est ouvrir la voie royale qui mène à la guérison.

LES 5 ÉLÉMENTS

Élément	Bois	Feu	Terre	Métal	Eau
Organe	Foie	Cœur	Rate Pancréas	Poumon	Rein
Entraille	Vésicule biliaire	Intestin grêle	Estomac	Gros intestin	Vessie
Couleur	Vert	Rouge	Jaune	Blanc	Bleu marine/ noir
Ouverture	Yeux	Langue	Bouche Lèvres	Nez	Oreilles
Sens	Vue	Goût	Toucher	Odorat	Ouïe
Sécrétion	Larmes	Sueur	Salive	Morve Mucosité	Salive Urine

LES 5 ÉLÉMENTS (*suite*)

Goût	Aigre Acide	Amer	Sucré Doux	Épicé Piquant	Salé
Saison	Printemps	Été	Fin été	Automne	Hiver
Orientation	Est	Sud	Centre	Ouest	Nord
Climat	Vent	Chaud	Humide	Sec	Froid
Moment	Matin Aube	Midi Matinée	Après-midi Midi	Soir Soirée	Nuit
Tissus	Ligaments Tendons Muscles Ongles	Vaisseaux Sang	Chair Liquides organiques	Peau Poils Cheveux	Os Dents Organes génitaux
Aspects psychologiques et émotions négatifs	Colère Irritabilité Rancœur Agressivité	Haine Cruauté Violence Arrogance Impatience	Inquiétude Anxiété Apitoiement Idéation obsessionelle	Tristesse Mélancolie Contrôle critique Hésitation	Peur Frayeur Repli sur soi Ennui Indifférence Stérilité
Aspects psychologiques et émotions positifs	Tendresse Amabilité Précision Volonté	Vitalité Joie Amour Sincérité Charisme	Compassion Confiance Sens de la réflexion Stabilité	Droiture Acceptation Lâcher-prise Disponibilité Conscience Loyauté Intériorisation	Créativité Vivacité Fertilité Bonne libido

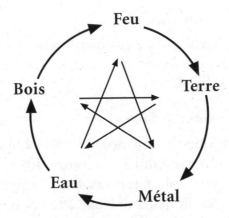

La théorie classique et traditionnelle chinoise nous apprend que tout est relié. Ainsi, comme le montre le diagramme ci-dessus, le **Bois** alimente le **Feu**. En médecine chinoise, nous pourrions dire qu'une **colère** non contrôlée attaquera le **foie** autant qu'une **alimentation trop riche en gras** et, suivant la loi de l'interrelation des méridiens, le **cœur** s'en trouvera affecté.

Ce raisonnement, simple en apparence, mis en application sur une plus vaste échelle, m'a aidé à comprendre l'origine de la maladie de nombreux patients. Et mes patients ont compris pour leur part que la maladie ne tombe pas du ciel, qu'elle peut être expliquée, donc guérie.

Les différents types de maladies

En médecine chinoise, il existe différents types de maladies :

Origine des maladies

ciel : chaleur, humidité, sec, froid, vent
émotions : joie, souci, tristesse, peur, colère
terre (les saveurs) : amère, douce, piquante, salée, acide

Les maladies venant du ciel

Dans ce type de maladies, les éléments reliés à la température ont une influence directe sur la santé : vent, chaleur, humidité, sécheresse, froid.

Les maladies venant de la terre

L'alimentation joue ici un rôle très important au niveau de la santé. On retrouve cinq (5) saveurs différentes : l'acide, l'amer, le piquant, le salé et le doux. Dans la pensée traditionnelle chinoise, les aliments doivent être choisis en fonction des saisons. De plus, la personne est invitée à retrouver son instinct, celui-là même qui lui permet de choisir l'aliment qui est juste pour elle.

Les ajustements entre le ciel et la terre

Ici, la médecine chinoise met en lumière le lien étroit qui relie la santé aux émotions telles que la colère, la joie, l'obsession, la tristesse et la peur.

À force de pratique, je découvre dans les fondements de la médecine chinoise des notions qui, bien que totalement nouvelles pour moi, viennent répondre à des questions restées trop longtemps sans réponses. J'apprends à comprendre les notions du Tao, du yin et du yang, du Qi (chi ou énergie de vie). Alors qu'en médecine chinoise, l'énergie est une réalité mesurable sur les méridiens ou circuits énergétiques, je vois clairement apparaître dans ce concept la notion de l'invisible, difficilement mesurable pour notre science occidentale.

Le Yin engendre le Yang et le Yang engendre le Yin comme le jour vient après la nuit. C'est le cycle éternel de la vie où il peut être nécessaire de passer par la maladie pour «guérir sa vie».

Le contact avec la médecine chinoise me permet d'intégrer la notion d'équilibre dans ma compréhension de la guérison. Il devient maintenant évident que la maladie ne tombe pas du ciel et que son apparition résulte d'une combinaison de plusieurs facteurs : émotions, alimentation, génétique, synchronicité dans le temps, etc.

L'être humain fait partie d'un Tout

Je comprends, entre autres, que les climats et les événements météorologiques obéissent à des lois cycliques prévisibles et que ces lois influencent largement la physiologie des êtres vivants. Par exemple, au printemps, le foie est l'organe dominant ; en été, c'est le cœur ; en automne, le poumon, et en hiver, ce sont le rein et la rate qui sont dominants. La rate, pour sa part, domine dans les changements de saisons. Elle est le réservoir de l'énergie intérieure, nommé Yin, qui reçoit un surplus d'énergie durant la période située entre l'été et l'automne. C'est pourquoi en médecine chinoise, nous parlons souvent d'une cinquième saison qui serait située entre l'été et l'automne, la saison de la rate.

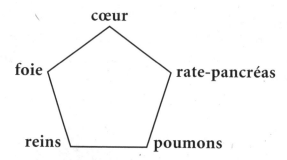

En temps normal, le foie est nourri par l'énergie au printemps, puis cette énergie passe au cœur en été, à la rate en fin d'été, au poumon en automne et au rein en hiver. Si, par exemple, un individu «carbure» durant toute sa vie, il épuise son énergie du rein, ce qui donne un foie plus faible au printemps, et le cœur peut se trouver le grand perdant dans toute cette opération. Si sa faiblesse est sur ce circuit énergétique, il vient peut-être de créer un chemin vers la maladie cardiaque. Nous possédons tous et toutes un circuit plus fragile où la maladie peut se développer.

Le rythme des saisons et l'influence qu'il opère sur notre vie est un rythme dont nous devons tenir compte dans notre démarche de guérison. De plus, toujours selon les principes de médecine chinoise, il existerait des cycles reliés aux mouvements planétaires. L'être humain faisant partie de l'Univers, il est tout à fait plausible de croire qu'il est influencé par ce vaste mouvement.

Tenant compte de tous ces facteurs, nous pouvons ainsi établir un calendrier physiologique mettant en évidence des rythmes de maladies prévisibles, ce qui nous permet ainsi de lutter plus efficacement contre ces influences. Si le climat devient malade, les influences sur la santé deviennent mesurables et c'est souvent le système immunitaire qui reçoit le contrecoup (grippes, asthme, etc.). Devenir conscient de ces facteurs peut nous aider à prévenir l'apparition de ces maladies, surtout en ces temps de réchauffement de la planète et de changements climatiques.

Saisons reconnues en médecine chinoise :

Printemps   6 février-5 mai
Été   6 mai-5 août
Automne   6 août-5 novembre
Hiver   6 novembre-5 février

Si ces dates ne correspondent pas à celles établies pour marquer le passage de nos saisons, c'est tout simplement parce qu'en médecine chinoise, l'énergie précède la matière. Il y a donc une imprégnation de l'énergie de la saison avant qu'elle ne s'installe réellement dans le temps. Il vous est sûrement déjà arrivé, par un beau matin de février, de sortir dehors et, l'espace d'un instant, d'avoir l'impression que le printemps est arrivé alors que le calendrier n'indique pas encore le 21 mars. Cette notion d'énergie qui précède la matière est aussi à la base de la prévention en médecine chinoise. Par exemple, si un méridien montre des signes de faiblesse (énergie), ce sera le signe pour le médecin chinois qu'un trouble physique est en préparation (matière). Ainsi, en questionnant et en prenant les pouls traditionnels, le médecin chinois pourra détecter le trouble avant qu'il ne se manifeste par la maladie physique.

Guérir sa maladie ou guérir sa vie ?

Ma rencontre avec le docteur Van Ghi m'aura permis de côtoyer la sagesse orientale, la magie du moment présent, celle du Tao. Cette magie est cependant difficile à comprendre pour l'individu malade qui, en proie à la panique, va se projeter dans le futur afin d'essayer tous les types de traitements possibles et imaginables. C'est ici qu'apparaît la différence entre vouloir *guérir sa maladie* et vouloir *guérir sa vie*.

La personne qui choisit de guérir sa vie sera, bien entendu, confrontée à cette dualité qui engendre la peur : est-ce que je me fais confiance ou est-ce que je remets ma vie entre les mains du système de santé ? Tout au long de ma pratique, je côtoie des personnes qui ne savent pas quelle voie choisir. Elles se questionnent sans cesse :

- Est-ce que je fais vacciner mon enfant ?

- Est-ce que j'accepte la chimiothérapie dans le traitement d'un cancer du sein ?

- Est-ce que je dois donner des antibiotiques à mon enfant qui fait une otite ?

- Est-ce que je dois prendre des antidépresseurs pour mon mal de l'âme ?

En tant que scientifique, je n'ai pas de réponses absolues à toutes ces questions. La réponse doit venir de la personne elle-même, elle doit émerger dans la centration et dans la confiance en son ressenti, tout en demeurant dans la réalité scientifique moderne. Car guérir sa vie ne veut pas dire que l'on doive retourner à l'âge de pierre...

L'abandon conscient et la guérison

Les années passent et je poursuis mes recherches dans le domaine de la guérison en découvrant des pistes toujours plus intéressantes les unes que les autres. Par exemple, dans les cours prénatals, les personnes apprennent à chanter et à danser pour faciliter le travail de l'accouchement. Par le chant et la danse, le mental est mis au repos. L'abandon conscient favorise alors le processus de l'accouchement. Cette notion **d'abandon conscient** deviendra pour moi une nouvelle clé dans le processus de guérir sa vie : s'accorder avec le cours des événements, laisser couler la rivière tout en étant présent et saisir la bonne branche au passage, c'est-à-dire saisir l'instant, la mince brèche dans le temps où tout est possible. Voilà la trame de fond du processus de guérison.

Conscient qu'il me reste encore bien des éléments à découvrir au niveau du processus de guérison, je participe, en 1984, à des formations continues en auriculothérapie selon la méthode du docteur Paul Nogier. Cette nouvelle forme de pratique est la plus étonnante qu'il m'a été donné de découvrir. Je m'en servirai par la suite en obstétrique pour contrôler la douleur et stimuler les contractions, ou encore dans l'arrêt talagique ou le contrôle des bouffées de chaleur de la ménopause.

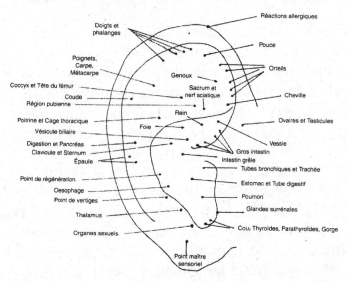

> **Réflexion**
>
> La formation continue dans les médecines alternatives et complémentaires confirme cette notion fondamentale que le symptôme est une manifestation de la souffrance du corps et qu'il faut apprendre à interpréter cette souffrance avant de vouloir faire disparaître le symptôme qui l'occasionne. Le corps devient alors un grand maître, un enseignant de la vie.

La naissance de mes enfants, Philippe et Mylène, respectivement en 1982 et 1983, me permet d'établir un contact encore plus intime avec la notion de guérison. C'est pour moi l'occasion rêvée de poursuivre mes recherches afin de trouver des moyens naturels pour soulager les maux courants de l'enfance. Ces enfants deviennent pour moi des « maîtres ». Par exemple, très jeune ma fille Mylène me dit déjà: «Papa, tu travailles beaucoup trop.» Comment rester sourd à ce message?

Comme la médecine chinoise et l'acupuncture s'appliquent plus difficilement dans la petite enfance et comme l'équilibre de l'énergie par la médecine chinoise a ses limites, il doit bien y avoir quelque chose en dehors des aiguilles qui permette à l'organisme de s'autoguérir, quelque chose qui rende les gens encore plus autonomes quant à la gestion de leur santé.

À cette époque, plusieurs médecins se regroupent sous le chapeau de l'Association des médecins holistiques du Québec (AMHQ). Différentes formations européennes deviennent alors disponibles et c'est à ce moment que je commence ma formation en ostéopathie, une médecine nouvelle qui dépasse largement le travail de la main et la technique. Cette approche, mise au point par le médecin américain Andrew, Taylor Still, est enseignée avec beaucoup d'éthique par Philippe Druelle D.O., le fondateur du Cercle d'études ostéopathiques (C.E.O.). En parallèle, j'apprends les médecines manuelles enseignées par le médecin ortho-pédiste anglais, le Dr James Cyriax. Le toucher devient d'une subtilité désarmante, me permettant désormais des inter-ventions plus centrées et mieux ciblées. Il est maintenant possible de contacter l'essence de la vie que les ostéopathes nomment : mouvement respiratoire primaire.

Des approches axées sur la guérison

C'est à cette époque que le destin place Jean Scheurwegs sur mon chemin. Ce naturopathe-homéopathe d'origine belge dirige une clinique et une école d'homéopathie très acha-landée à Québec. Comme mes longues heures de travail en médecine familiale et en obstétrique laissent des séquelles que mon corps me signale par des sinusites à répétition, je décide d'aller le rencontrer pour une consultation. En entrant dans son bureau, je découvre un homme jovial et chaleureux qui, à la manière des médecins traditionnels chinois, semble déjà s'être fait une idée sur mon état de santé dès la première minute de la rencontre. « Vous me semblez fatigué, me dit-il, prenez ceci ! » et il m'offre un petit verre de cognac sorti tout droit d'une armoire de sa bibliothèque.

Je saisis aussitôt toute la puissance du mouvement des appro-ches axées sur la guérison : enseigner une philosophie de vie et l'implanter chez le client. Bien qu'il ne soit pas nécessaire de donner un cognac à tous ses clients, je comprends la sym-bolique du geste : les toucher, les écouter et les saisir pour générer en eux un moment de réflexion qui amènera un changement durable ou qui les conduira peut-être à la porte sacrée de la guérison.

Jean Scheurwegs me remet en plus une fiole contenant un complexe homéopathique à prendre trois fois par jour pendant dix jours. La sinusite disparaît au bout de trois jours. Placebo ou effet direct? Qui pourrait le dire? Mais qu'est-ce qui est le plus important? La réponse à cette question ou le résultat obtenu?

Il m'invite ensuite à assister à ses formations au cours desquelles il enseigne l'art de vivre avant même de donner un produit homéopathique. Par exemple, dans ses cours, Jean Scheurwegs suggère aux gens fatigués de prendre une bière Guiness (qui selon lui contiendrait du fer) et de rire tous les jours.

Réflexion

Ces conseils, hors du commun, ébranlent mon château fort scientifique où n'existe que ce qui est mesurable. Pourtant l'amour existe et on ne l'a jamais mesuré. Je réalise combien le client peut réussir à se sentir mieux avant même que la science ne soit intervenue.

À force de vivre ces expériences toutes plus significatives les unes que les autres, une idée s'installe de plus en plus profondément en moi: «Et si on réunissait toutes les approches de guérison alternatives et complémentaires avec le concept de médecine scientifique?... »

Que serait la guérison sans poésie ?

Le vie venant de m'enseigner que la guérison est un Tout, comme l'art fait partie intégrante de la vie, il était tout à fait normal qu'un jour arrive sur ma route une personne qui introduise la notion de l'art dans ma réflexion. C'est à ce moment que le grand poète Félix Leclerc a croisé mon chemin pour une consultation en homéopathie. Un jour, alors que j'étais chez lui et que nous discutions politique, il s'arrête et me dit : « Vois l'oiseau sur l'arbre dehors comme il est beau. » Un long silence a suivi son intervention. Cette simple réflexion m'a aidé à comprendre qu'enseigner la poésie de la vie et l'amour des choses simples fait aussi partie de la quête du bonheur sur le chemin de *guérir sa vie*.

Un peu plus loin sur mon chemin de découvertes, j'ai croisé la route d'une vieille Montagnaise dans le nord du Québec. Après une longue marche en montagne où elle devait m'enseigner l'utilisation de quelques plantes médicinales, riche de la sagesse qu'elle avait acquise au fil des ans, elle me dit : « Tu veux apprendre les traitements par les plantes des premiers peuples ? Eh bien ! si tu tombes malade, il faut que tu saches pourquoi tu es tombé malade ; ensuite, tu dois trouver qui autour de toi peut t'aider, et enfin où tu seras dans le monde, la bonne plante tu trouveras. »

Finalement, au bout de toutes ces années de recherche, mon grand ami Raoul Duguay est venu éveiller en moi le musicien dans sa quête de guérison. Lors de ma participation à son atelier *La voie de la voix*, j'ai compris la puissance de la guérison par le son, que ce son soit émis par une voix humaine ou par un instrument. J'ai aussi compris l'importance d'émettre des sons et de chanter pour vivre.

CONCEPT DE SANTÉ GLOBALE

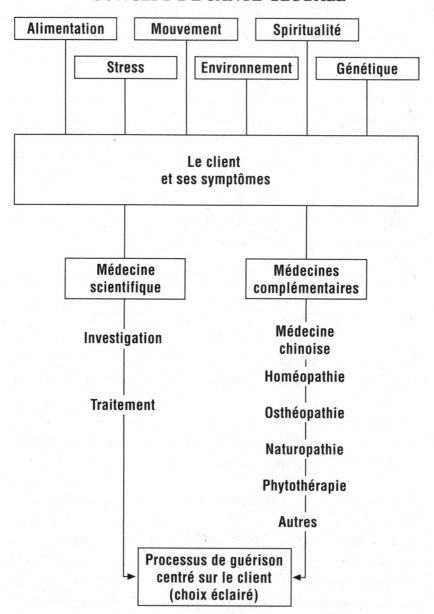

Le concept de santé globale

Toutes mes années de réflexion ainsi que toutes les découvertes que j'avais faites, je me devais de les partager avec le plus grand nombre de personnes possible, mais comment? Il fallait que je réussisse à mettre en place un concept de santé globale adapté.

Après des heures de réflexion dans la nature, l'application de ce concept m'est apparu comme étant *la* solution. L'objectif premier de cette approche ne se résume pas uniquement à guérir une maladie comme étant un élément isolé, mais bien comme le symptôme d'un déséquilibre touchant la personne dans son entier. Ce concept aurait pour nom *Guérir sa vie*.

Son but est d'aider la personne à reprendre le volant de sa vie bien en mains en comprenant pourquoi cette maladie a pris place en elle, ce qu'elle doit faire pour en stopper la progression, pour se guérir et mettre en place une hygiène de vie capable de prévenir l'apparition de nouvelles maladies.

La santé en six points

Le concept de santé globale *Guérir sa vie* porte sa réflexion sur les six points suivants, domaines de notre vie que l'on doit questionner avec conscience afin de pouvoir repérer quels sont nos indicateurs de santé et de maladie.

1- L'alimentation

Voilà la première piste à explorer. La personne est invitée à devenir consciente de sa façon de manger, de la qualité des aliments qui entrent dans son assiette ainsi que des émotions qui sont associées au fait de manger. «Est-ce que tu manges tes émotions? ». Voilà une question à laquelle chacun de nous doit répondre.

2- Le stress

Quelle place occupe le stress dans votre vie? Ici je m'intéresse surtout aux petits stress anodins qui passent trop souvent inaperçus. La gestion du stress est aussi une question de gestion des émotions: colère, tristesse et de la surchauffe des cerveaux.

3- Le mouvement

Dans l'application du concept de prise en charge de sa vie, l'activité physique est primordiale. Comment bouger sans devenir des martyrs? Il faut d'abord bouger intérieurement, se mettre en action et, tout comme pour l'alimentation, retrouver son centre et son instinct pour découvrir le type d'exercices approprié pour nous.

4- L'environnement

On ignore trop souvent que notre habitat peut être à l'origine de nombreux problèmes de santé: moisissures, champs électromagnétiques, micro-ondes, etc. Voilà autant d'éléments dont il faut tenir compte dans notre quête de guérison.

5- La spiritualité

La spiritualité est pour moi synonyme de la réflexion que l'on porte sur le sens de sa vie. Est-ce que votre vie fait du sens? Dans quelle direction allez-vous? Quels sont vos objectifs? Toutes ces questions et bien d'autres encore doivent trouver réponse.

6- La génétique (nos ancêtres et notre code génétique)

Notre monde rapide a vite fait d'oublier ses ancêtres. Par l'intermédiaire du méridien du rein, la médecine chinoise nous rappelle que ceux et celles qui nous ont précédés ont non seulement laissé des traces génétiques mais aussi des traces émotives en nous. Plusieurs conflits actuels viennent de vieilles lésions familiales. Chaque personne est donc invitée à faire un bilan généalogique durant son voyage intérieur.

Dans les pages qui vont suivre, nous allons explorer ensemble ces points un à un, nous allons même les décortiquer afin de vous aider à mieux les maîtriser, à jouer avec chacun d'eux pour vous permettre de maintenir l'équilibre dans votre vie, pour vous aider à guérir votre vie.

Anecdote

Durant un stage en recherche, je demande au pathologiste responsable comment il explique le fait que les gens attrapent la grippe après avoir eu froid aux pieds. Pour toute réponse, il me dit : « Je ne le sais pas ! ». Je restai bouche-bée ! Dans mon esprit, la science venait d'en prendre un coup. J'ai trouvé plus tard la réponse avec la médecine chinoise, qui nous enseigne qu'un coup de froid peut amener un déséquilibre dans les circuits d'énergie du méridien rein-vessie ouvrant la porte à une faiblesse potentielle des autres méridiens, dont celui du poumon.

Réflexions

« Bien que le cours de médecine se déroule sans histoire, déjà l'autre côté des choses m'attire. »

Jean Drouin

« Chaque être humain porte un trésor. À nous de le découvrir. »

Gilles Vigneault

« Si l'ennemi est trop fort, reculez, et s'il faiblit revenez, mais demeurez toujours là en évitant judicieusement tous les tirs. »

Mao Tsé Toung

« Tout se tient dans l'Univers, ici encore la médecine chinoise l'avait observé bien avant nous. »

Jean Drouin

CHAPITRE 2

L'ALIMENTATION

« **Que ton aliment soit ta seule médecine.** »

Hippocrate

Depuis le début de l'humanité, l'alimentation est considérée comme l'élément qui joue un rôle de première importance, aussi bien au niveau de notre santé physique que de notre bien-être en général. Quatre cents ans avant J.-C., Hippocrate, le père de la médecine occidentale, avait souligné le lien étroit qui existe entre la santé et les aliments en affirmant : « Que ton aliment soit ta seule médecine », plaçant alors la nutrition sur le même pied que la médecine.

Les deux questions que nous devons nous poser aujourd'hui sont les suivantes :

1. Si l'aliment joue un rôle à ce point important, pourquoi y a-t-il si peu de médecins qui en « prescrivent » ?

2. Avec tous les bouleversements qui se sont produits dans le domaine de l'industrie agroalimentaire, Hippocrate

pourrait-il faire la même affirmation plus de 2000 ans après J.-C.?

Je répondrais à la première question en disant tout simplement que l'on ne peut pas enseigner ce que l'on n'a pas soi-même appris. Les cours de nutrition étant à peu près inexistants dans le domaine de la formation médicale, on comprend facilement pourquoi les médecins sont plus à l'aise à manier des médicaments! De plus, les contraintes de temps de la consultation médicale rendent difficile le counseling médical de base en nutrition.

Pour ce qui est de la deuxième question, je crois que notre ami Hippocrate y réfléchirait deux fois avant de clamer que notre aliment est notre premier médicament… Aujourd'hui, les aliments ne sont plus ce qu'ils étaient: raffinage, utilisation de produits chimiques au niveau des cultures, appauvrissement des sols, ajout de colorants, de saveurs artificielles, fruits, légumes et céréales mûris chimiquement, etc. Voilà autant de méthodes développées par l'industrie agroalimentaire qui viennent appauvrir, pour ne pas dire anéantir la qualité nutritionnelle des aliments.

Les aliments d'ici pour les gens d'ici

Il existe également une autre notion dont nous parlons trop peu souvent, c'est celle du terroir. En principe, les aliments qui entrent dans notre assiette devraient avoir été produits localement, par nos agriculteurs, sur nos terres. La médecine amérindienne, qui se veut une médecine de la terre, nous enseigne depuis toujours que les aliments d'ici sont les aliments les mieux adaptés pour les gens d'ici. N'est-ce pas ce que vivaient nos grands-parents?

Il n'y a pas si longtemps que cela, les gens mettaient leurs carottes dans le sable l'hiver, ils rangeaient leurs pommes de terre dans le caveau et ils préparaient des conserves avec les légumes et les fruits de **leur** jardin. Ils faisaient également boucherie avec les animaux qui avaient vécu sur leurs terres ou sur des terres avoisinantes.

Aujourd'hui, nous mangeons des fruits et des légumes qui proviennent de l'autre bout du monde, qui ont été cueillis immatures et que l'on a fait mûrir artificiellement dans des chambres à gaz. Les animaux sont parfois nourris aux hormones et aux antibiotiques et les céréales sont trafiquées. Faut-il se surprendre si le corps a de la misère à suivre la cadence? «Il peut s'adapter!», diront certains. «Le corps est fait fort», diront d'autres.

À tout cela s'ajoute l'arrivée des OGM qui, sous prétexte de vouloir augmenter la durée de vie des aliments et d'en améliorer l'apparence, les transforment au cœur même de leur code génétique. L'industrie a développé des techniques ultra-sophistiquées pour que nos aliments deviennent rentables, pour qu'ils soient beaux, sans tache, d'une couleur et d'une saveur «parfaites». Moi, je me rappelle encore le temps de mon grand-père; les pommes de terre avaient des taches brunes que l'on enlevait tout simplement avant de les faire cuire.

En très peu de temps, nous avons demandé au corps de s'adapter à tous ces changements: changement de terroir, arrivée de l'import-export, développement des méthodes de culture, d'élevage et de conservation (chambre à gaz, etc), arrivée des pesticides, des engrais chimiques, des OGM... Tout ça pourquoi? Pour rendre l'aliment acceptable dans un cadre de village global et de rentabilité.

Sans vouloir jouer au prophète de malheur, s'il est aujourd'hui impossible de prédire avec justesse les conséquences que vont occasionner tous ces changements sur la santé, je crois que nous surestimons les capacités « adaptogènes » du corps humain et que l'état de santé des gens ne pourra aller que de mal en pis. D'où l'importance de devenir conscients et de faire des choix éclairés.

Pour que la pomme d'aujourd'hui soit acceptable, on doit parfois pulvériser plus de dix-sept fois des produits chimiques sur les vergers … Pour que le maïs soit plus performant, on a recours aux pesticides et à la monoculture… Et que dire de la valeur nutritive et énergétique de la carotte de 1925 comparée à celle des années 2000 ? N'y aurait-il pas un lien entre cette alimentation « moderne » et les maladies chroniques de notre époque ?

Valeur nutritive des fruits et légumes : 1900 comparé à aujourd'hui

Autrefois, les plantes poussaient sans être vraiment nourries sauf d'un peu de fumier. Puis, à l'aide des engrais chimiques à base d'azote et de potassium, le rendement agricole se trouva accéléré, mais il entraîna des carences en oligoéléments (magnésium, fer, etc.) dans les plantes potagères. Comme les fermiers ne pratiquaient pas l'engraissement chimique, les plantes étaient probablement plus nutritives en 1925. Toutefois, de meilleures connaissances des besoins nutritionnels des plantes ont maintenant corrigé partiellement les carences. L'agriculture biologique moderne semble s'imposer comme solution aux méthodes de culture à grand rendement et souvent peu respectueuses de la planète.

Additifs et santé

Les multiples additifs utilisés dans les aliments préparés pour leur donner texture, goût, couleur, etc., doivent être éliminés de l'organisme, surtout par le foie (et les reins) qu'ils affaiblissent. Véritable «ordinateur-santé» du corps aux multiples fonctions – plus de 500 connues – le foie risque de s'épuiser à la longue chez de nombreux individus plus sensibles. De plus, les tests de toxicité sont effectués chez des individus en parfaite santé, donc moins vulnérables. La recherche n'a pas vraiment les moyens de nous protéger compte tenu qu'il y a des milliers de sentiers métaboliques potentiellement sensibles, d'autant plus qu'on ne connaît à peu près rien de la toxicité des mélanges complexes de ces additifs.

Modes de cuisson

La cuisson dégourdit les aliments et élimine les éventuels microbes dangereux, mais elle doit être pratiquée avec certaines précautions, par exemple cuire le moins possible. L'usage de la marguerite réduit le lessivage des vitamines et minéraux dans l'eau de cuisson.

Dans le temps…

«Doc, comment expliquez-vous que mon grand-père ait mangé du lard toute sa vie et qu'il n'ait jamais eu de problèmes de cholestérol? Aujourd'hui, on dirait que le simple fait de voir du beurre fait augmenter notre taux de cholestérol.». Oui, mais d'hier à aujourd'hui, les choses ont tellement changé! D'un côté la qualité des aliments s'est détériorée et de l'autre, les gens sont devenus beaucoup plus sédentaires.

Dans ce temps-là, les gens mangeaient peut-être du lard, mais ils bougeaient !

Dans le concept de santé globale, il faut comprendre que la santé n'est pas le résultat d'un seul facteur – comme l'alimentation – mais de plusieurs facteurs combinés : l'alimentation, le stress, le mouvement, l'environnement, la spiritualité et la génétique.

Prenons, par exemple, ce que nous vivons aujourd'hui en comparaison avec ce que vivaient nos grands-parents : nous bougeons moins qu'eux et nos aliments sont de moins bonne qualité. La viande qu'ils mangeaient était plus saine, elle n'était pas traitée aux antibiotiques ; leurs fruits et leurs légumes n'étaient pas recouverts de pesticides et leurs céréales étaient complètes. Dans ma conception de la santé globale, nous avons « deux prises » contre nous : l'alimentation (détérioration) et le mouvement (diminution). Alors doit-on se surprendre aujourd'hui si le corps nous montre des signes de faiblesse ?

Le bilan que l'on peut faire aujourd'hui n'est pas très réjouissant :

- **D'un côté,** nos aliments sont raffinés, ils perdent leur vitalité, leur globalité et ils deviennent moins performants. Résultat : notre système immunitaire fonctionne au ralenti.

- **De l'autre côté,** il y a les produits chimiques qui intoxiquent notre corps (le foie), affaiblissent encore plus notre immunité et laissent des résidus inquiétants dans le sang – appelés radicaux libres – qui peuvent devenir des promoteurs de cancer.

Les études sur la présence d'hormones dans l'alimentation

Les hormones utilisées dans la production des viandes ne sont qu'un des éléments préoccupants de la production industrielle moderne. Notons qu'on n'utilise plus d'hormones dans l'élevage des volailles. D'autre part, les pesticides présents dans les aliments donnés aux animaux constituent une importante préoccupation à cause de leur effet œstrogénique bien documenté. Chez les jeunes filles, de nombreuses études leur attribuent la précocité de la puberté et la fréquence élevée du syndrome prémenstruel ; chez les garçons, la faiblesse stérilisante croissante du sperme. À cela s'ajoutent les multiples effets perturbateurs du système hormonal de celui qui consomme des viandes produites à l'aide de grandes quantités d'antibiotiques. En fait, la plus grande menace hormonale serait la combinaison de tous ces facteurs.

Pesticides et santé

Les pesticides attaquent les plantes et les animaux indésirables en perturbant certaines parties de leur métabolisme ; entre autres, ils attaquent le cerveau des insectes. Il n'est pas surprenant que les recherches documentent maintenant qu'ils perturbent le développement et le fonctionnement du cerveau, en particulier chez les enfants. Les enfants exposés ont nettement moins de mémoire, de capacité de dessiner des personnages et de coordination visuelle-manuelle, tout en étant plus solitaires et moins créatifs. Avant de donner une pomme à son enfant, il est donc conseillé de la laver soigneusement et même de la peler. »

Référence : Carol Vachon

Les pesticides peuvent s'introduire dans le système hormonal et avoir comme effet secondaire de le stimuler ou de l'inhiber.

Finalement, les hormones peuvent aussi s'introduire dans notre axe le plus intime, l'axe de l'hypophyse et toutes ses glandes qui en sont dépendantes, et nous voilà complètement décentrés au niveau hormonal.

Si nous comparons la vie que menaient nos grands-parents avec celle que nous menons aujourd'hui, en tenant compte de tous les changements qui se sont produits au niveau de l'alimentation, nous ne devrions travailler que quatre (4) heures par jour et passer les autres quatre (4) heures à chercher l'aliment sain et frais pour nourrir le corps et l'âme !

« Mais l'espérance de vie augmente ! », me direz-vous. Le mérite n'en revient pas à notre alimentation… Ce sont avant tout les notions d'hygiène et de contrôle des mesures sanitaires qui se sont améliorées. Nous devons aussi répondre à la question suivante : si les personnes vivent plus longtemps, est-ce une qualité de vie intéressante ?

Réflexion

Plutôt que de parler simplement d'espérance de vie, ne devrions-nous pas rechercher une espérance de vie ACTIVE, de qualité et empreinte de dignité ?

Flore de qualité, corps en santé

« Un sage est un individu qui va très bien du gros intestin », disaient les médecins traditionnels chinois. La science moderne nous démontre que le tube digestif qui, en surface, est l'équivalent de la surface d'un terrain de tennis, possède une activité intense. Il faut d'abord comprendre que nous avons une flore intestinale qui nous est propre et que toute notre vie, nous la sollicitons. Cette flore et le métabolisme intestinal sont intimement liés à notre système immunitaire. Si, avec le temps, l'intestin devient moins performant, il peut présenter des problèmes de perméabilité et laisser passer des molécules qui ne sont pas complètement assimilées. Alors, d'un problème d'intestin, nous pouvons nous retrouver avec des symptômes aussi variés que des allergies ou de la fibromyalgie. Pour prévenir cette situation et préserver la santé de la paroi intestinale, la consommation régulière de probiotiques[2] est tout indiquée, surtout durant les périodes où il y a prise d'antibiotiques ou stress intense.

L'étude Su.Vi.Max (1997-2003) a observé que les indicateurs sautent chez de plus de 14 000 personnes. Cette étude nous apprend que la prise quotidienne d'antioxydants basiques réduirait de 34 % l'incidence de cancer chez l'homme. Consommer des fruits et des légumes frais, telle que préconisé par le régime crétois, serait donc la meilleure solution pour nous garantir des quantités suffisantes d'antioxydants. Cette même étude faisait état du fait que la consommation de calories vides – par une alimentation riche en fast food – augmentait dangereusement la présence de radicaux libres dans le sang, ces derniers pouvant devenir des agents promoteurs de cancer.

2   Ensemble de bactéries lactiques nécessaires au maintien de la flore intestinale.

Les oméga 3-6-9

Le docteur David Servan-Schreiber a fait grand éloge des *oméga 3* dans son livre intitulé « *Guérir* »[41]. Il est cependant important d'établir un juste équilibre entre les oméga 3, 6 et 9. Trop souvent, le rapport existant entre les oméga 3 et 6 produit un effet inverse sur la santé, les oméga 6 étant trop importants en quantité.

LE TABLEAU SUIVANT INDIQUE LES DIFFÉRENTS TYPES DE GRAS PRÉSENTS DANS LES ALIMENTS

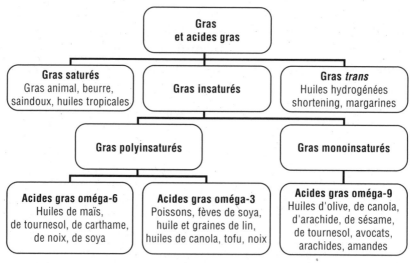

Ce tableau vous permet de prendre les décisions appropriées pour équilibrer vos gras et ainsi viser à augmenter la consommation en oméga 3. Ce nouvel équilibre permettra à nos membranes cellulaires d'être moins rigides, donc assurer une certaine prévention cardiovasculaire et un meilleur fonctionnement du métabolisme du cerveau. À cet égard, le professeur Serge Renaud a démontré une diminution de 70 % des rechutes suite à un infarctus du myocarde grâce à une bonne consommation d'oméga 3.

Selon certains experts, la consommation d'une boîte de sardines trois (3) fois par semaine serait suffisante pour combler nos besoins en oméga 3.

Mal dans son corps, bien dans sa tête ?

La détérioration qui s'est produite au niveau de notre alimentation n'affecte pas seulement notre santé physique, mais aussi notre santé psychologique. Si l'on regarde de plus près la subtile chimie du cerveau, on réalise bien vite que les neurotransmetteurs sont de plus en plus perturbés. « Qu'est-ce qu'un neurotransmetteur ? », me direz-vous.

Un neurotransmeteur est un médiateur chimique qui assure la transmission d'information aussi bien au niveau du cerveau que dans le corps en entier. Les plus connus sont la sérotonine, la dopamine et la noradrénaline. C'est précisément sur la sérotonine qu'agissent les antidépresseurs utilisés couramment comme le *Prozac*, le *Paxil*, l'*Effexor*, etc.

Rôle de la sérotonine :

- Régulation de l'humeur
- Contrôle de la satiété
- Contrôle de l'irritabilité
- Contrôle de l'impatience
- Contrôle de la vulnérabilité au stress

L'alimentation raffinée, la présence de pesticides dans les aliments et le fastfood affectent-ils la qualité du travail effectué par les neurotransmetteurs dans le cerveau? La science ne peut pas encore répondre de façon précise à cette question.

Lorsque les neurotransmetteurs ne sont plus aptes à livrer leurs messages adéquatement – ou pire encore, s'ils transmettent des informations inexactes – il peut en résulter de nombreux dysfonctionnements. Par exemple, en consultation je rencontre de plus en plus de gens qui sont «sympathicotoniques», c'est-à-dire des gens qui sont en perpétuel mouvement, dormant peu et étant toujours en état de tension ou de stress. Il en résulte de l'hypertension, une prédisposition aux maladies cardiovasculaires, de l'anxiété et des troubles du sommeil. Ces personnes ont un taux d'hormone du stress élevé dans le sang (cortisol plasmatique).

Un cercle vicieux s'installe peu à peu: les neurotransmetteurs ne fonctionnant plus normalement, la personne a de plus en plus de difficulté à prendre des décisions, elle mange moins bien et elle peut même en venir à une perte du sens de sa vie… Arrive un temps où il se produit un «court-circuit» dans le cerveau et tout saute! C'est l'épuisement, souvent appelé «burnout», un état qui flirte dangereusement avec la dépression.

Pour ma part, j'ai toujours cru qu'il existait un lien entre le dérèglement des neurotransmetteurs et le sens de la vie. Si notre «computer central» est décentré et que nos systèmes nerveux et hormonal sont déséquilibrés, il y a de fortes chances pour que nous soyons décentrés physiquement et que nous perdions le contrôle de notre existence. Et si nous mangeons de plus en plus mal, la chimie du cerveau ne peut faire autrement que de réagir devant la détérioration de la qualité des aliments.

Reprendre le volant de notre existence

Si nous reprenons le concept de santé globale – qui veut que la santé soit la résultante de plusieurs facteurs – nous devons développer le réflexe de compenser la diminution de la qualité des aliments en posant des gestes concrets dans les autres domaines de notre existence.

Prenons l'exemple d'une personne qui se sent totalement décentrée après avoir vécu une période de stress intense et durant laquelle elle a consommé du fastfood. Comment pourrait-elle retrouver son équilibre en portant une attention plus particulière aux six facettes du concept de santé globale? Voici ce que je lui conseillerais:

- **Alimentation:** devenir consciente du déséquilibre et amorcer la correction en privilégiant une alimentation vivante.

- **Mouvement:** marcher quotidiennement 30 minutes en pleine nature et en profiter pour respirer consciemment et contacter le moment présent.

- **Stress:** identifier les stresseurs de sa vie et apporter des modifications là où cela est possible pour les diminuer.

- **Spiritualité:** ajouter la méditation et le silence à son hygiène de vie ou pratiquer régulièrement l'exercice 6-3-6.

Cette petite progression de conscience pourrait la remettre sur son chemin de vie.

Exercice pour induire un état de relaxation:
La respiration 6-3-6

- S'asseoir.

- La tête doit être bien centrée.

- Faire le calme.

- Inspirer en comptant 1-2-3-4-5-6.

- Maintenir et compter 1-2-3.

- Expirer lentement en comptant 1-2-3-4-5-6.

- Répéter trois fois.

En apprenant ainsi à jouer avec les différentes composantes de notre vie, nous réalisons peu à peu que lorsque viennent des périodes plus difficiles, nous réussissons à les traverser avec plus de facilité. Il faut toujours mettre les six indicateurs de la santé en interaction et en complémentarité les uns avec les autres. C'est ce que j'appelle **guérir sa vie** !

Les ravages du raffinage

Parmi tous les ravages occasionnés par le raffinage des aliments, le sucre mérite une attention particulière. L'industrie des aliments transformés ajoute des quantités de sucres de toute nature (dextrose, frustose, sucrose, etc.) pour donner du goût et créer une certaine forme de dépendance. Par exemple, un sachet de soupe peut contenir jusqu'à 1/3 de sucre. Comme la proportion d'aliments transformés a considérablement augmenté depuis 1950, la consommation de sucre a atteint des niveaux inégalés. L'épidémie de diabète que nous vivons aujourd'hui est la résultante directe des sucres cachés qui se trouvent dans presque tous les aliments transformés.

Le goût du sucre est développé très tôt chez les enfants, faisant en sorte qu'ils consomment beaucoup plus de sucre que ce que leur corps en a réellement besoin. Cette surcharge de sucre entraîne un surfonctionnement du pancréas qui, à la longue, s'épuise et montre des signes de faiblesse.

Chez l'adulte, le problème de tolérance de la courbe du glucose peut être associé à ce que l'on appelle le syndrome métabolique, aussi connu sous le nom de syndrome X : tendance au diabète – hypertension artérielle – obésité abdominale – le tout associé à un risque de maladie cardiovasculaire plus élevé.

Dans une vision globale, ce syndrome métabolique serait aussi relié au fait que notre système hormonal n'est plus capable de s'ajuster à tout ce que nous lui faisons endurer... Généralement, lorsqu'une hormone est débalancée, les autres le sont aussi : hypotalamus, hypophyse, etc.

LES 3 CLÉS

La première clé : Retrouver notre instinct

« Que faire alors ? », me direz-vous. Devant l'ampleur de la situation, plusieurs en viennent à se questionner : « Mais qu'est-ce qu'on mange ? Il y a des hormones dans le bœuf, le bio coûte plus cher ; dois-je prioriser les produits du terroir ? Vaut-il mieux consommer du saumon de culture ou naturel ou encore s'en abstenir et risquer un déficit en oméga 3 ? Et que penser des fruits et des légumes qui contiennent des pesticides ?... »

Avant toute chose, il faut revenir à notre instinct ! La question à se poser n'est donc pas « qu'est-ce qu'il faut manger ? » mais bien « qu'est-ce qui est bon **pour moi** ? » Bien des gens ne savent même pas ce qui est bon pour eux. Comment faire pour retrouver notre instinct ? Pratiquer régulièrement l'exercice de centration. Nos systèmes hormonal, immunitaire et nos neurotransmetteurs pourraient en être les grands bénéficiaires ! On ne s'en sort pas ! Si nous partons du principe que ces systèmes sont déjà un peu « tout croches », nous devons premièrement apprendre à nous observer pour ajuster notre régime de vie. Si l'individu est décentré, l'alimentation l'est souvent. Si vous avez une tendance à l'alimentation rapide, il est grand temps d'agir.

Exercice de centration

Cet exercice vous aidera à rester centré même dans les moments tumultueux. Il peut être pratiqué plusieurs fois par jour et ses effets bienfaisants sont cumulatifs au fil des mois. Comme l'exercice 6-3-6, il vous aidera à reprendre contact avec le moment présent.

- S'asseoir sur une chaise en gardant un angle de 90 degrés.

- Les pieds sont en contact avec le sol.

- Les mains sont placées doucement sur les cuisses.

- Le dos est bien droit, non appuyé sur le dossier de la chaise.

- Fermer les yeux et prendre contact avec sa respiration.

- Commencer à faire des petits mouvements avec la tête : vers l'avant, l'arrière, à gauche, à droite en cherchant la position dans laquelle vous vous sentez le mieux. Une fois celle-ci trouvée, garder cette position durant une minute, même si vous n'êtes pas tout à fait droit.

- Puis, ouvrir lentement les yeux, s'étirer comme un chat qui sort de son sommeil et revenir à vos tâches quotidiennes.

La conscience du moment présent :
la voie de guérir sa vie.

Je ne soulignerai jamais assez l'importance de la conscience. Être conscient, vivre le moment présent : « Il est midi et je dois manger, je suis au volant de ma vie, qu'est-ce que je choisis ? » On revient automatiquement à l'importance de retrouver notre instinct. Comme plusieurs l'ont complètement oublié depuis de nombreuses années, il faut s'arrêter et se demander : « Est-ce que je choisis de consommer du fastfood hypercalorique ? Qu'est-ce que j'ai le goût de manger ? Des légumes ? Des fruits ? Du poulet ? ». Il est important de comprendre que si vous avez des goûts particuliers, ce ne sont pas toujours des caprices, c'est peut-être votre corps qui vous exprime ses besoins. Et comme je le dis parfois à la blague, mieux vaut manger un « Big Mac » heureux que des graines de tournesol enragé. Mais si vous mangez un « Big Mac » à tous les jours, il est fort à parier que vous deviendrez décentré... ou que vous l'étiez déjà avant !

La deuxième clé : Manger de tout !

La deuxième clé à retenir est de manger varié. Un individu peut se sentir bien avec l'alimentation végétarienne, l'autre mange de la viande mais refuse le porc, d'autres suivent la théorie des groupes sanguins dans laquelle les produits laitiers et le blé sont fortement déconseillés pour les groupes sanguins de type O et A. Certains vont boycotter le bœuf, c'est aussi parfait ! Il faut choisir une alimentation qui nous correspond, qui fait du sens pour nous, qui respecte notre budget tout en respectant les besoins physiologiques du corps. Plusieurs suivront avec succès la diète des groupes sanguins, d'autres ne tolèrent pas le lait… Il faut avant tout se choisir et non choisir une théorie ou un dogme.

En médecine chinoise traditionnelle, la notion de saisons joue aussi un rôle important dans le choix de nos aliments. Par exemple, le goût de consommer du porc et des oignons pourrait être plus présent en hiver. L'important, c'est de reconnaître nos goûts, nos tolérances et d'être conscient qu'ils vont varier suivant les saisons et notre degré de centration.

La troisième clé : la vie engendre la vie !

C'est avec de la vie que l'on fait de la vie. Quand quelqu'un vient me voir pour soigner un cancer ou une maladie chronique, je l'invite à rechercher les aliments les plus vivants possibles, les aliments les plus complets possibles, biologiques autant que possible.

CAPSULE

Apprendre à lire les étiquettes

Le grand principe à retenir : plus la liste des ingrédients est courte, meilleur est l'aliment.

Doit-on prendre des compléments alimentaires ?

Plusieurs spécialistes vous diront que si vous mangez bien, vous n'avez pas besoin de suppléments. Mais qui mange bien de nos jours et quel guide doit-on suivre ?

Un complément alimentaire peut être utile pour la personne qui ne fait que commencer à améliorer ses habitudes alimentaires. Certains prétendent que même les fruits et légumes frais ne nous apportent plus ce dont nous avons besoin, car ils sont eux-mêmes carencés nutritivement par les méthodes de l'agriculture conventionnelle chimique. Que faire? On peut toujours essayer d'augmenter ses performances (vitalité, compétition, bien-être, lutte à la maladie) en consommant des suppléments vitaminés multiminéralisés, antioxydants, levures alimentaires, algues, petit lait, etc. La règle à suivre est d'alterner et de ne pas poursuivre indéfiniment la supplémentation. Aucun produit n'est parfait (même les aliments naturels ont leurs toxines) de sorte qu'un supplément donné ne sera pas nécessairement balancé pour un individu donné. En cela, une bonne analyse du coût et de la qualité est primordiale. Le meilleur supplément est probablement celui qui s'accompagne de la recherche des faiblesses dans ses habitudes et attitudes.

Si vous me demandez si je crois que les suppléments alimentaires sont essentiels, je vous répondrai: oui! Les aliments ont tellement perdu au niveau de leur valeur nutritive qu'il faut aller chercher nos vitamines, nos minéraux et nos antioxydants ailleurs. Bien entendu, nous n'avons pas tous les même besoins. Il y a des grandes lignes à suivre selon le mode de vie de chacun:

- Une personne qui travaille intensivement durant douze heures par jour a des besoins différents de celle qui en travaille huit sans stress.

- La période d'andropause/ménopause fait en sorte que nos besoins ne sont pas les mêmes qu'en toute autre période de notre vie.

- Les besoins en antioxydants des personnes qui vivent à Toronto ne sont pas les mêmes que ceux des personnes vivant dans la nature, loin des grands centres.

- Les besoins des personnes qui fument diffèrent de ceux des non-fumeurs...

Les compléments à privilégier dépendent de notre genre de vie et de ce que nous vivons à certains moments de notre existence. Par exemple :

- Vous êtes en période de stress important ou vous vivez une surcharge de travail. Augmenter la prise d'antioxydants aide à diminuer les résidus laissés par une alimentation rapide (radicaux libres). Les principaux antioxydants sont : la vitamine C – le bleuet – le raisin – le vin rouge – le glutathion – le lycopène (tomate).

- Une personne qui fume régulièrement devrait prendre des antioxydants et un supplément de vitamine C.

- L'homme de quarante-cinq ans qui a un léger problème de prostatisme pourrait prendre certaines plantes telles que le palmier nain, le pygeum, le lycopène (tomates) ainsi qu'un supplément de zinc.

- La femme ménopausée qui a des bouffées de chaleur importantes pourrait être soulagée par la prise de trois verres de lait de soya par jour et une cuillère à soupe de graine de lin fraîchement moulue matin et soir.

Le jeûne : un pas vers la recherche de spiritualité

Le premier principe en alimentation est de savoir jeûner. Le jeûne faisait autrefois partie de la tradition : les purgations, le carême, les vendredis maigres et autres jeûnes initiatiques. Les gens associaient ces rituels à la religion, mais en fait, dans toutes les cultures, le jeûne a toujours été synonyme de santé. Les grands maîtres ont compris depuis toujours l'importance de mettre le corps au repos afin de privilégier une saine spiritualité.

Le jeûne nous permet de recréer l'équilibre au niveau de notre alimentation. Et lorsque je parle de jeûne, je ne veux pas dire jeûner pendant trois semaines en risquant de perdre son emploi… Je préfère surtout les « microjeûnes » que l'on peut faire deux fois par année : au printemps et à l'automne. La cure aux raisins représente à ce titre un exemple parfait : manger une livre de raisins verts biologiques, trois fois par jour, en prenant 1,5 litre d'eau pure durant la journée. Cette cure peut être faite pendant deux jours, comme par exemple durant une fin de semaine. Par le fait même, vous pouvez profiter de cette période pour vous reposer, prendre le temps de méditer, de réfléchir sur votre vie. Le jeûne est un allié de premier ordre si l'on veut retrouver notre instinct et notre spiritualité. Si vous optez pour un jeûne prolongé, il est alors recommandé d'être accompagné de professionnels.

Manger, c'est aussi une question d'attitude.

Je conseille à tous mes clients de faire une réflexion sur leur rituel de repas. Pour eux…

- Est-ce un moment privilégié, une « perte de temps », un fardeau ?

- Est-ce qu'ils mangent à la course, sur un bout de comptoir, en écoutant la télé, en lisant le journal ?

- Est-ce qu'ils privilégient des échanges avec leurs proches, des moments de silence, l'écoute d'une musique relaxante ?

Quand surviennent des troubles de digestion, les aliments ne sont pas toujours les seuls en cause. Il faut aussi avoir l'honnêteté de se questionner :

- Avec qui est-ce que je mange ?

- Est-ce que j'ai de la difficulté à « digérer » cette personne ?

- Quelles sont les émotions que je vis à table ?

- Est-ce que je mange mes émotions ?

Les émotions jouent un rôle tout aussi important que les aliments que l'on mange ! Il faut apprendre à développer notre sensibilité afin de découvrir quelles sont les causes des inconforts vécus à table.

- Mes heures de repas sont-elles des périodes où je peux profiter d'une pause ? Ou se transforment-elles en sessions de travail, de négociation ou encore de règlements de comptes ?

Je recommande très souvent à mes clients de manger seuls une ou deux fois par semaine, en silence ou encore avec une musique qu'ils ont choisie. Cette prescription s'intitule : «Prendre rendez-vous avec soi». Apprendre à gérer ses horaires est aussi une question de respect envers soi et envers les autres. Comme nous vivons dans un monde où les repas sont parmi les rares moments où on prend le temps de se parler, il faut essayer de trouver un juste équilibre : prendre conscience de ce que l'on mange et des échanges que l'on a. On peut aussi simplement éviter les sujets conflictuels. À chacun de trouver la recette qui lui convient !

Conclusion

Une réflexion de société devrait s'amorcer en ce qui concerne nos méthodes de production alimentaire. Pour ma part, je crois que les médecins devraient recevoir une formation plus élaborée en nutrition, leur permettant ainsi de jouer plus adéquatement leur rôle au niveau de la prévention. En médecine chinoise, l'alimentation est partie intégrante de la pratique des soins depuis des millénaires. Alors qu'attendons-nous ?

Choisir des aliments biologiques, c'est poser un geste de conscience aussi bien pour vous que pour notre planète.

Petits conseils au jour le jour :

Il est préférable de ne pas manger avant de se coucher pour garder le sommeil à son meilleur. Si la faim se présente, questionnez votre alimentation et les émotions ressenties durant la journée.

Réflexion quotidienne

À la fin de chaque jour, je fais le bilan de mon alimentation. Si j'ai voyagé toute la journée et mangé une nourriture rapide souvent élevée en « gras trans » et en calories, demain j'aurai intérêt à augmenter ma consommation de fruits, de légumes et de légumineuses. Voilà un autre exemple concret du chemin de conscience de **guérir sa vie**. On remarque encore ici l'importance de revenir au moment présent et de prendre le temps de réfléchir avant d'agir.

Vous avez besoin de grignoter?

Questionnez-vous à savoir comment se portent vos émotions. Trouver la réponse à cette question, c'est trouver la solution au problème de grignotage!

LE COIN DU CHERCHEUR

- Quelles méthodes de cuisson privilégier?

  Manger le plus souvent des aliments crus. Si on choisit un mode de cuisson, éviter la cuisson au micro-ondes et la cuisson au barbecue.

- Doit-on boire en mangeant?

  En principe non, mais il faut respecter le rythme et le système de chacun.

- Quels sont les besoins quotidiens en eau et quel type d'eau devrait-on choisir?

  Le corps a besoin de 1 à 1,5 litre d'eau par jour. Pour ce qui est du type d'eau, il existe l'eau de source, l'eau du robinet, les eaux filtrées par osmose inversée et l'eau distillée. Nous devrions privilégier une eau la moins chlorée possible et le plus faiblement minéralisée. Une eau de source ayant un faible taux en sodium et en parties par million (PPM), soit moins de 50, pourrait être intéressante. Il faut aussi être vigilant sur l'entretien des refroidisseurs d'eau, car un entretien inadéquat pourrait générer une source importante de bactéries.

- Que penser du lait de vache ?

Face à la controverse concernant le lait de vache, si ce breuvage ne vous convient pas, vous le sentirez rapidement
au niveau de votre système digestif. La question du lait
nécessiterait un livre à elle seule. Depuis 1963, Montignac,
Pinard, Vachon et le courant naturopathique placent le
lait de vache au banc des accusés : allergies, sinusites, etc.
Ici encore, il faut se fier à notre instinct et se demander :
« Qu'est-ce qui est bon pour moi maintenant que je me
suis informé auprès de différentes études ? »

Certains prétendent que l'adulte n'a pas les enzymes
nécessaires pour digérer le lait : « Avez-vous déjà vu une
vache boire du lait ? », disent-ils.

CHAPITRE 3

LE STRESS

La gestion adéquate du stress représente l'une des facettes incontournables du concept « Guérir sa vie ». Et pour cause ! Qui d'entre nous n'est pas confronté, sur une base régulière, à des agents stresseurs ? Avec le rythme de vie que nous connaissons, les responsabilités que nous assumons, les obligations que nous devons remplir, les changements auxquels nous devons nous adapter, est-il étonnant de constater que le stress est devenu une préoccupation majeure pour la plupart d'entre nous ?

Pourtant, à la base, le stress est une réaction saine de l'organisme. Le stress est le courant, le mouvement qui nous pousse à nous éveiller le matin, à bouger, à vivre tout simplement. Sans stimulation, sans stress, c'est l'ennui, la déchéance progressive, voire même la mort.

En 1950, Hans Selye définit le stress comme étant une façon pour les organismes vivants de s'adapter à des situations d'urgence ou dramatiques. C'est donc l'association de deux éléments indissociables : une agression (ou une stimulation) et la réponse de l'organisme à cette agression. La stimulation peut être physique (coup, blessure, douleur, mais aussi caresse, baiser, câlin), psychologique (contrainte, peur, insatisfaction, mais aussi joie, tendresse et amour) ou sensorielle (bruit, éblouissement, dégoût, froid, pesanteur, douceur, parfum, musique).

La réponse est toujours biologique ; elle permet l'adaptation de notre organisme à l'agression. Cette réponse, qu'on le veuille ou non, déclenche toujours les mêmes mécanismes d'adaptation au niveau du cerveau. La réponse se traduit rapidement par un ensemble de sécrétions hormonales et de modifications biologiques, responsables à leur tour des différentes manifestations symptomatiques, fonctionnelles ou organiques, bonnes ou mauvaises.

Le stress peut s'avérer salutaire et même indispensable à votre survie. Prenons un exemple : par une belle matinée de printemps, vous marchez lentement dans la forêt. L'air est pur et frais, la nature est en éveil, les oiseaux gazouillent ; vous ressentez un calme inouï et vous êtes complètement détendu. Au détour d'un petit sentier, un ours surgit ; affamé et farouche à la suite de son hibernation, il vous apparaît menaçant. Vous comprenez qu'au mieux, il veut vous chasser de son territoire et qu'au pire, il veut satisfaire sa faim ! En quelques secondes, votre état se modifie. Un stress aigu naît en vous et les mécanismes de réponse à ce stress se mettent en branle : vos glandes surrénales sécrètent du cortisol, de la noradrénaline et de l'adrénaline ; votre rythme cardiaque s'accélère ; votre pression artérielle augmente ; vos bronches et vos pupilles se dilatent et votre glycémie s'élève. En moins de deux, vous êtes en état de sympathicotonie, c'est-à-dire en état de survie. Vous êtes prêt à vous défendre ou à trouver des solutions pour fuir. L'air pur, la nature en fleurs, les oiseaux… vous n'y pensez même plus. Votre organisme a répondu à un élément stressant ; vous êtes en état d'alerte.

Dans cet exemple, le stress est une réaction saine. Il peut vous sauver la vie. Toutefois, il est clair que l'organisme ne peut rester dans ce mode réactionnaire très longtemps. L'organisme concentre ses forces pour faire face à un stress intense, mais il doit ensuite revenir au mode de fonctionnement normal et régulariser ses systèmes internes.

Heureusement, de telles situations stressantes ne se rencontrent que rarement. Par contre, nous sommes quotidiennement confrontés à des stress, de plus ou moins forte intensité, pouvant même parfois passer inaperçus, mais qui pourtant suscitent les mêmes réactions de défense de nos glandes. Ces stress ne nous mettent pas nécessairement en état de survie comme lors de la rencontre avec l'ours, mais ils nous plongent tout de même en état d'alerte, d'urgence, et d'une certaine façon, en mode de défense. Le problème se situe au niveau de la répétition quotidienne de ces stress, même s'ils sont anodins ou léger s. Cette répétition finit par créer une surcharge pour le corps et l'esprit. Les hormones « chauffent », l'esprit s'excite et s'épuise. Et si nous additionnons tous ces petits stress, il peut en résulter la même intensité de réaction que celle provoquée par la rencontre avec l'ours.

Voici un exemple simple, voire banal dans notre monde actuel axé sur la productivité, qui nous le démontre. Myriam, une de mes patientes, raconte l'anecdote suivante. Secrétaire de direction dans une grande entreprise, elle assume chaque jour de nombreuses tâches, parfois plus qu'elle ne peut en accomplir.

Alors qu'elle est occupée à faire son boulot, son patron dépose sur son bureau un dossier portant la mention «urgent», lui spécifiant qu'elle doit lui remettre dans un délai de deux heures. Son organisme réagit. Elle est en état d'alerte. Elle laisse de côté ses autres tâches et s'applique à satisfaire les exigences de son patron parce qu'elle sait qu'elle sera évaluée sur sa performance et qu'elle peut subir les foudres de son patron si elle ne réussit pas à accomplir ce qu'il exige d'elle. À la limite, elle peut même perdre son poste. C'est donc en état de stress qu'elle accomplit le travail demandé. Elle réussit à le faire dans le temps alloué, mais elle ne reçoit que peu ou pas de valorisation de la part de son patron en retour, ce qui suscite encore plus de frustration, de dépit, de colère et contribue à augmenter son état de tension.

Gérer l'information

L'exemple de Myriam n'est évidemment pas unique. Chacun de nous subit des stress de différente intensité dans sa vie professionnelle. Ajoutons à cela les tensions reliées aux relations interpersonnelles, à la vie de couple, à la vie de famille… Les occasions de vivre des stress ne manquent pas ! Le simple fait de déambuler dans la rue crée une certaine forme de stress : le mouvement intense dans la rue, la circulation automobile, etc. Mais il y a plus : le simple fait d'être «bombardé» d'informations diverses, allant de la sécurité jusqu'à la publicité, génère un stress dans tout l'organisme. Vous connaissez sans doute l'exercice de la dilatation des pupilles. Il suffit de regarder une photo d'une personne dénudée pour que vos pupilles se dilatent sans même que vous en soyez conscient, révélant ainsi une réaction de l'organisme à une stimulation extérieure, si minime soit-elle.

Nous vivons dans un monde de technologie, de productivité et de surconsommation. Nous sommes exposés quotidiennement à une surcharge d'informations. Une étude effectuée en Angleterre a démontré que l'homme de la rue vivant à Londres est exposé chaque jour à plus de 1000 messages publicitaires différents. Bien que nous ne soyons pas pleinement conscients de toute cette pollution, notre cerveau perçoit tout de même ces messages et il doit en gérer le contenu, créant ainsi un stress additionnel. Repensons à l'exercice des pupilles qui se dilatent à la simple vue d'une photo et imaginons des centaines et des centaines de photographies ou séquences visuelles !

Un employé de bureau n'est pas en reste lui non plus quant à la surcharge d'informations. Toujours selon la même étude, un employé de bureau d'une firme commerciale est, en moyenne, soumis quotidiennement à 191 communications, à 51 coups de téléphone, à 39 courriels, à 16 notes de renvois et à 20 lettres. Multiplions ces données par le nombre de jours passés au bureau et nous comprendrons rapidement à quel point la gestion de l'information s'avère essentielle pour diminuer notre niveau de stress. Si l'employé moyen travaille 240 jours dans l'année, il doit donc gérer 12,240 appels téléphoniques ! De quoi lui donner des bourdonnements dans les oreilles !

La surcharge des cerveaux

Je vous cite ces chiffres en exemple pour vous faire prendre conscience de notre rythme de vie ahurissant. Nous vivons dans une inconscience relative face à la façon dont nous menons nos activités, que ce soit au niveau professionnel ou personnel. Qui d'entre vous est conscient des surdoses d'informations dont il est victime? Bien peu le sont! Pourtant, une surdose d'informations entraîne des symptômes qui se reconnaissent facilement: problèmes de concentration, tendance à se perdre dans les détails, troubles du sommeil, réveils fréquents durant la nuit, diminution de la libido, etc. La surcharge d'informations crée chez l'humain un triste paradoxe: le cerveau étant engourdi, cela nuit à la gestion des choses essentielles; alors le corps manque de repos et devient excité. C'est ce qu'on peut appeler une léthargie agitée ou encore la surchauffe des cerveaux.

Lorsqu'on ressent un tel état, lorsque la surdose d'informations dépasse la limite de ce que l'on peut gérer, il n'y a pas mille solutions: agir! Je propose alors de travailler à l'amélioration de la qualité du sommeil, de prendre une semaine de vacances à la campagne ou du moins en un lieu calme où vous serez certain de ne pas être envahi par les informations de toute sorte, de consacrer du temps à des loisirs simples, à des activités que vous aimez et à des êtres que vous chérissez. Je suggère aussi de faire le bilan de ses habitudes de vie et d'amorcer les changements qui s'imposent. Par exemple, chacun peut se discipliner à fermer le téléviseur ou même le poste de radio au moins deux heures chaque jour et ainsi apprivoiser le silence. On peut aussi apprendre à se ménager des plages horaires hebdomadaires pendant lesquelles personne ne peut nous rejoindre. On peut également modifier ses méthodes de travail afin de mieux gérer les informations reçues. Par exemple, le simple fait de trier les informations en trois volets (urgent, moyennement urgent et pas urgent du tout) peut nous permettre de gérer efficacement notre stress au travail. Il devient ensuite plus facile de distinguer les choses essentielles de celles qui peuvent attendre.

Les échelles d'évaluation du stress

Les échelles d'évaluation sont d'une grande utilité pour faire le point sur l'état de stress que vit une personne. Elles permettent d'identifier les situations stressantes et elles donnent le portrait actuel de notre stress tout en facilitant l'identification des éléments qui génèrent ces stress. Ce n'est ni plus ni moins qu'un examen de conscience personnel. Lors de mes consultations, je peux poser des questions aux patients et les aider à découvrir les agents stressants de leur vie. Mais je leur propose quand même de répondre aux questions des échelles d'évaluation de stress. Elles ont l'avantage de les rendre autonomes dans l'identification et la compréhension des phénomènes stressants de leur vie. Pour ma part, j'utilise quatre échelles d'évaluation de stress.

La première, très simple, a été élaborée par le Département de Santé communautaire de Montréal. Elle fut largement diffusée au Québec lors d'une émission télévisée de Claire Lamarche, sur le réseau TVA. Elle se divise en deux blocs de 10 questions chacun. Le premier bloc permet de faire un bilan du stress actuel, alors que le second évalue les outils dont nous disposons pour faire face à ce stress. En se servant d'une échelle de 0 à 5 (0 étant *jamais* et 5 étant *toujours*), il suffit de répondre aux questions en donnant la cote correspondant à notre situation personnelle.

QUESTIONNAIRE 1

Voici les questions :

A) Bilan de stress :

1. Il m'est arrivé de vivre des événements importants, heureux ou malheureux. Cote _____

2. Je vis des irritants ou des situations pressantes (manque de temps, surcharge de travail, échéancier bousculé, etc). Cote _____

3. Je manque de défis ou je souffre d'ennui, de solitude et d'isolement. Cote _____

4. J'ai l'impression de ne pas avoir suffisamment de contrôle sur ma vie en général. Cote _____

5. J'ai tendance à voir les choses en noir. Cote _____

6. Je suis très préoccupé par le fait de trouver, de conserver ou d'aimer mon travail. Cote _____

7. Ma situation financière me préoccupe. Cote _____

8. J'éprouve des manifestations physiques qui me semblent associées au stress (ex.: troubles du sommeil, fatigue, troubles digestifs). Cote _____

9. J'éprouve des changements dans mes habitudes de vie qui me semblent associés au stress (ex.: diminution de l'appétit, prise d'alcool en hausse, diminution de la libido). Cote _____

10. Je ressens des manifestations psychologiques qui me semblent associées au stress (ex.: humeur instable, geste agressif, concentration diminuée). Cote _____

Résultats: 0 à 14 ....stress léger
15 à 34.........stress moyen
35 à 50.........stress important

B) *Les outils de gestion de stress*

11. Je m'efforce de changer les situations que je peux changer et d'accepter celles que je ne peux pas changer. Cote _____

12. Je sais voir le bon côté des choses et j'ai un bon sens de l'humour. Cote _____

13. J'exprime mes besoins et mes émotions et je respecte ceux des autres. Cote _____

14. Devant des situations difficiles ou inhabituelles, je cherche à inventer des solutions. Cote _____

15. J'ai quelqu'un sur qui compter en cas de difficulté. Cote _____

16. Je consulte un professionnel de la santé lorsque j'en ressens le besoin. Cote _____

17. Même en période d'activité intense, je réussis à me changer les idées. Cote _____

18. Je prends plaisir à des activités simples ou à des loisirs sans avoir l'impression de perdre mon temps. Cote _____

19. Je pratique régulièrement des activités physiques ou des techniques de détente. Cote _____

20. Je sais répartir mon temps entre mes activités professionnelles, ma vie personnelle et ma vie sociale. Cote _____

Résultats :   0 à 14 – peu d'outils pour gérer mon stress.
15 à 34 – bon nombre d'outils pour gérer mon stress.
35 à 50 – beaucoup d'outils pour gérer mon stress.

QUESTIONNAIRE 2

La seconde échelle de stress que j'utilise est celle de Holmes-Rahe. Selon cette échelle, vous notez les événements stressants que vous avez vécus dans les douze derniers mois et vous additionnez la cote qui leur est attribuée. Si vous obtenez moins de 150 points, vous avez 30 % de possibilités que votre santé se dégrade à la suite de stress vécus. Entre 150 et 300 points, le pourcentage se situe à 50 %. Si votre total grimpe au-dessus de 300, les risques pour votre santé peuvent atteindre jusqu'à 80 %.

Voici les questions de l'échelle de Holmes-Rahe.

Événement	valeur
Mort d'un conjoint	100
Divorce	73
Séparation	65
Peine de prison	63
Mort d'un proche	63
Blessure ou maladie	53
Mariage	50
Perte d'emploi	47
Départ à la retraite	45
Réconciliation conjugale	45
Problème de santé d'un proche	44
Grossesse	40
Problèmes sexuels	39
Arrivée d'un nouveau membre de la famille	39

Adaptation au travail	39
Changement de la situation financière	38
Mort d'un ami intime	37
Nouvelle orientation professionnelle	36
Évolution du nombre de querelles	35
Hypothèque équivalent à au moins un an de salaire net	31
Forclusion d'une hypothèque ou d'un prêt	30
Nouvelles répartitions des responsabilités à la maison	29
Départ des enfants	29
Relations problématiques avec la belle-famille	29
Réalisation personnelle extraordinaire	28
Obtention ou perte d'un emploi par le conjoint	26
Rentrée scolaire ou début des vacances	26
Changements des conditions de vie	25
Modifications des habitudes personnelles	24
Relations problématiques avec un supérieur	23
Modification des horaires ou des conditions de travail	20
Changement de domicile	20
Changement d'école	20
Changement de loisirs	19
Changement d'activités paroissiales	19
Changements d'activités mondaines	18
Prêt équivalent à moins un an de salaire net	17
Modification des habitudes de sommeil	16
Changement de la fréquence des réunions familiales	15
Modification des habitudes alimentaires	15
Vacances	13

Noël	12
Infractions mineures	11
Divers:	
Abandon du tabac ou autre substance	60
Obligation de s'exprimer devant un grand nombre de collègue	55
Problèmes de garde d'enfants	55
Fusion ou prise de contrôle de la compagnie	47
Introduction d'une nouvelle technologie	40
Ergomanie (plus de 12 heures de travail par jour)	35
Stress des voyages (si vous êtes absent de chez vous plus de 4 jours par mois)	30
Stress des déplacements quotidiens (si vous passez plus de 5 heures par semaine sur la route)	25
Nouveau supérieur	20

Total

Il faut rappeler que la maladie migre toujours vers le système le plus faible.

QUESTIONNAIRE 3

La troisième échelle est l'échelle d'anxiété de Hamilton, que tous les médecins connaissent et qui est fréquemment utilisée dans le réseau médical.

ÉCHELLE D'ANXIÉTÉ DE HAMILTON

Instructions	Cette liste de contrôle aide le médecin à évaluer chaque patient concernant le degré d'anxiété et l'état pathologique. Indiquer le degré approprié d'anxiété.	0 aucune 1 bénigne 2 modérée 3 grave 4 grave et très invalidante	Classification clinique Anxiété normale 0 à 18 Anxiété modérée 18 à 28 Anxiété grave 28 et plus

Symptômes		Degré	Symptômes		Degré
Humeur anxieuse	inquiétude, appréhension du pire, vague appréhension, irritabilité		Symptômes somatiques (sensoriels)	tinnitus, vue brouillée, bouffées de chaud et de froid, sensation de faiblesse, picotements	
Tension	sensation de tension, fatigabilité; sursaute et pleure facilement; tremblement, agitation, incapacité de se détendre		Symptômes cardio-vasculaires	tachycardie, palpitations, douleur thoracique, battements dans les artères, sensation d'évanouissement et d'arrêt cardiaque	
Peur	du noir, des inconnus, d'être seul, des animaux, de la circulation routière, des foules		Symptômes respiratoires	pression ou constriction thoracique, sensation d'étranglement, soupirs, dyspnée	
Insomnie	difficulté d'endormissement, réveils fréquents, sommeil peu reposant, fatigue au réveil, rêves, cauchemars, terreurs nocturnes		Symptômes gastro-intestinaux	difficulté de déglutition, flatulence, douleurs abdominales, sensation de brûlure, ballonnement, nausée, vomissements, borborygmes, selles molles, perte pondérale, constipation	
Fonction intellectuelle (cognitive)	difficulté de concentration, troubles de la mémoire		Symptômes génito-urinaires	mictions fréquentes, brusques envies de miction, aménorrhée, ménorragie, apparition de frigidité, éjaculation précoce, perte de la libido, impuissance sexuelle	
Humeur dépressive	perte d'intérêt, perte de goût pour les passe-temps préférés, dépression, insomnie matinale, brusques changements d'humeur pendant la journée		Symptômes du système nerveux autonome	sécheresse buccale, pâleur, tendance à transpirer, vertige, céphalées de tension, horripilation	
Symptômes somatiques (musculaires)	douleurs et courbatures, secousses musculaires, raideur, myoclonie, bruxisme, voix changeante, augmentation du tonus musculaire		Comportement lors de l'entrevue	nervosité, agitation; marche de long en large; tremblement des mains, froncement des sourcils, visage tendu, soupirs, respiration accélérée, pâleur, fréquentes déglutitions, éructation, brusques secousses des tendons, pupilles dilatées, exophtalmos	
			Score total		

QUESTIONNAIRE 4

La quatrième échelle, plus exhaustive, vous est proposée dans le livre *Les quatre clés de l'équilibre personnel*[1]. Je vous laisse le soin de consulter cet excellent ouvrage et d'utiliser pour vous-même la grille d'évaluation que les auteurs proposent.

Peu de gens s'accordent le temps de compléter ces échelles. Pourtant, le fait de compléter ces quatre questionnaires deux fois par an crée un espace propice au bilan personnel et trace le chemin de la guérison.

Le coffre à outils

Quand le coffre à outils des clients qui viennent me consulter est déficient, je leur propose différents choix d'exercices « santé ». Ces choix sont tous « azimuts » et adaptés pour répondre aux besoins d'une grande variété d'individus. Chacun peut alors choisir l'exercice qui l'interpelle le plus.

Quelques exercices « santé »

La centration

Cet exercice vous aidera à rester centré même dans les moments tumultueux. Il peut être pratiqué plusieurs fois par jour et ses effets bienfaisants sont cumulatifs au fil des mois. Comme l'exercice 6-3-6, il vous aidera à reprendre contact avec le moment présent.

---

1   R. Béliveau, J. Lafleur, *Les quatre clés de l'équilibre personnel.*

- S'asseoir sur une chaise en gardant un angle de 90 degrés.

- Les pieds sont en contact avec le sol.

- Les mains sont placées doucement sur les cuisses.

- Le dos est bien droit, non appuyé sur le dossier de la chaise.

- Fermez les yeux et prenez contact avec votre respiration.

- Commencez à faire des petits mouvements avec la tête : vers l'avant, l'arrière, à gauche, à droite en cherchant la position dans laquelle vous vous sentez le mieux. Une fois celle-ci trouvée, vous gardez cette position durant une minute, même si vous n'êtes pas tout à fait droit.

- Puis, ouvrez lentement les yeux, vous vous étirez comme un chat qui sort de son sommeil et vous revenez à vos tâches otidiennes.

Respiration du 6-36

C'est un exercice de respiration simple et très bénéfique qui a pour effet d'induire un état de relaxation, de baisser le niveau des tensions et d'équilibrer la respiration.

- Assoyez-vous sur une chaise, le dos bien droit.

- Trouvez votre centre comme expliqué précédemment.

- Installez un état de calme à l'intérieur de vous.

- Inspirez en comptant lentement 1-2-3-4-5-6.

- Maintenez l'inspiration et comptez lentement 1-2-3.

- Expirez en comptant lentement 1-2-3-4-5-6.

- Répétez trois fois.

Relâcher le diaphragme

- Tenez-vous debout, gardez les genoux souples.
- Inspirez profondément.
- Retenez votre souffle.
- Placez les mains sous les côtes en exerçant une pression.
- Expirez tout en maintenant cette pression.
- Relâchez brusquement les mains vers l'avant en poussant l'expiration en cours.
- Répétez l'exercice trois fois.

Colère et blessure profonde

- Assoyez-vous sur une chaise, le dos bien droit, les pieds en contact avec le sol.
- Faites l'exercice de centration pour retrouver votre centre.
- Laissez-vous habiter par l'émotion en question ; ressentez-la et, rapidement, imaginez que cette émotion descend jusqu'à vos pieds.
- Imaginez ensuite que vos pieds sont reliés au sol par des fils électriques qui descendent profondément dans le sol.
- Ressentez et visualisez l'émotion qui entre dans le sol par les fils électriques qui se prolongent sous vos pieds.
- Répétez l'exercice trois fois de suite rapidement.

Programme d'exercices pour les bureaucrates

Les postures que nous adoptons ou qui nous sont imposées par le type de travail que nous exerçons (informaticien, secrétaire, employé de bureau, etc.) peuvent engendrer des symptômes physiques de stress. Il en résulte souvent des maux de dos, de cou et de tête. Évidemment, le premier pas à faire est de prendre conscience de la posture que nous adoptons au travail et de nous efforcer d'y apporter des correctifs quotidiennement. Parmi les gestes à éviter, il y a, entre autres, celui de tenir le combiné du téléphone entre l'épaule et la tête. Voici quelques exercices qui pourront vous aider à diminuer le stress physique.

Exercice à deux

Pratiqué en fin de journée ou durant la pause, cet exercice est tout indiqué pour les personnes qui travaillent devant un écran et qui doivent faire preuve d'une attention visuelle constante. Cet exercice n'est pas recommandé pour les personnes souffrant d'arthrite, d'ostéoporose ou de problèmes au niveau de la colonne vertébrale.

- La première personne se tient debout, les pieds écartés à la largeur des épaules.

- Sa tête et le haut de son corps sont droits et ses mains croisées derrière la nuque.

- La deuxième personne se tient debout, derrière la première, son pied droit placé entre les jambes de cette dernière.

- La première personne prend une grande respiration pendant que la seconde la tire légèrement par les poignets dans un mouvement vers l'arrière.

- On revient ensuite à la position de départ en expirant.

- Répétez trois fois, puis inversez les rôles.

Le long cou

Le cou est souvent la partie du corps la plus malmenée durant les périodes de travail. Voici un exercice qui saura diminuer les tensions qui y sont accumulées. Il peut être pratiqué n'importe où et en tout temps.

- Assoyez-vous sur une chaise dont le dossier est court en prenant soin de garder le dos bien droit.

- Placez vos mains derrière la tête en les appuyant sur l'occiput, l'os dur qui est situé à la base de votre crâne. Vos deux pouces doivent être placés à la base du cou.

- Avec les pouces, faites un massage profond et circulaire des deux côtés du cou en remontant vers l'occiput. Insistez lorsque vous rencontrez un point plus douloureux (trigger).

- Répétez trois fois.

La tête entre bonnes mains

Cet exercice est tout indiqué pour soulager les maux de tête résultant des tensions et du stress. En prime, vous aurez l'air d'un penseur, ce qui pourrait aussi avoir un effet bénéfique auprès de votre patron !

- Assoyez-vous et prenez le temps de sentir le calme s'installer en vous ; si possible isolez-vous.

- Placez le pouce de la main droite sur l'arcade sourcilière droite et l'auriculaire sur l'arcade sourcilière gauche.

- Appuyez le coude sur une table ou sur votre bureau.
- Fermez les yeux.
- Avec vos deux doigts, faites une TRÈS légère traction vers l'avant pour ensuite diriger cette traction vers le haut.
- Relâchez doucement dans le sens inverse.
- Demeurez dans un état de calme encore une minute.

La roulade

Pour un massage de la région dorsale, pour l'humour et pour l'abandon conscient !

Cet exercice est tout indiqué pour les personnes qui travaillent sous tension tout en devant être attentives à ce qu'elles font. De telles conditions de travail font en sorte qu'il en résulte souvent une douleur entre les omoplates. L'exercice qui suit n'est cependant pas recommandé pour les personnes qui souffrent d'arthrite, d'ostéoporose ou qui ont des problèmes au niveau de la colonne vertébrale.

- L'exercice se fait sur un sol dur de préférence.
- Assis au sol, vous tenez vos chevilles entre vos mains.
- Vous initiez TRÈS, TRÈS doucement un mouvement vers l'arrière jusqu'à ce que vous ne puissiez plus résister à l'attraction et vous faites une roulade en vous assurant d'avoir le dos bien arrondi.
- Vous pouvez faire un mouvement de retour vers l'avant si vous vous en sentez capable ou bien restez au sol en position de roulade.
- Répétez trois fois.

Cet exercice amène un massage de toute la zone musculaire de votre dos. De plus, il rejoint l'humour tout en vous invitant à la pratique ultime de l'abandon, outil essentiel pour guérir sa vie et se faire confiance !

Un autre écueil : la colère

La gestion du stress passe inévitablement par une bonne gestion des émotions. Et l'une des émotions les plus destructives, si elle n'est pas dirigée, est certes la colère. Dans son livre « L'éloge de la fuite », Henri Laborit énonçait l'idée qu'une colère non conscientisée – et surtout non réglée – peut finir par détruire la personne qui la porte. Toutes les traditions et les courants de pensée sont unanimes : une colère non résolue est un véritable poison pour l'organisme.

- La médecine chinoise voit la colère comme un agresseur du foie.

- La psychologie moderne recommande de régler les situations conflictuelles afin d'évacuer la colère.

- Les psychologues n'hésiteront pas à affirmer que la meilleure façon d'exprimer sa colère est de réagir et de l'exprimer.

Comme ceux qui osent exprimer haut et fort leur colère sont souvent classés au rang des indésirables, nous avons donc appris à nous taire, à refouler notre colère pour être « politiquement correct ». Cette énergie de colère pénètre l'organisme en empruntant le circuit des méridiens d'acupuncture. À la longue, elle déstabilise la zone ou l'organe faible de l'organisme et c'est alors que la maladie apparaît.

Dans un premier temps, lorsque nous sommes confrontés à une colère, il faut en prendre conscience, bien identifier le problème qui l'a générée et choisir le moment opportun pour régler la situation qui est à l'origine de la colère. Si vous êtes capable d'exprimer tout de suite votre colère et de régler ledit conflit, tant mieux! C'est la meilleure voie pour l'évacuer. Toutefois, si cela n'est pas possible, voici quelques trucs pour vous permettre de diminuer la tension créée par la colère et surtout en diminuer les effets néfastes.

A) **Si la colère engendre en vous une envie de frapper, eh bien, frappez avec discrétion...**

Utilisez l'exercice de l'oreiller. Assurez-vous d'être seul, ou du moins isolé dans une pièce, tout en ayant préalablement averti les gens qui sont présents dans la maison. Faites une courte centration. Laissez monter l'émotion de la colère en vous remémorant l'événement en question. Tenez un oreiller ou un coussin d'une main et de l'autre, frappez-le vivement pendant deux minutes. Vous pouvez également émettre des sons si vous en ressentez le besoin (d'où la nécessité d'avoir avisé les gens présents autour de vous!). L'utilisation d'un «punching-bag» peut aussi – sinon plus – faire «politiquement correct»... Vous pouvez aussi coller la photo de la personne qui vous a mis en colère sur une balle de golf et la «swingner» pour un trou d'un coup; ou encore, visualisez cette personne sur une balle de tennis et «offrez-lui» votre plus beau service! Quel soulagement!

B) **Si la colère génère en vous du dépit ...**

Puisqu'il y a une émotion de tristesse sous-jacente qui accompagne la situation problématique et que cette émotion doit être ventilée, la pratique d'un exercice respiratoire est tout indiquée dans ce genre de situation. Pour ce faire, vous pouvez choisir l'exercice de la respiration 6-36, celui du relâchement ou encore faire des respirations profondes et continues.

Laissez-vous aller :

- Debout, genoux souples, inspirez profondément et retenez votre souffle.

- Placez les mains sur les côtes, faites une pression et expirez tout en maintenant la pression avec les mains.

- Relâchez les mains et la respiration brutalement.

- Répétez trois fois.

C) Si la colère génère en vous une blessure profonde...

Lorsqu'une personne vous blesse au niveau de vos émotions, il arrive souvent que cette situation réveille une blessure ancienne que l'on avait remisée au placard des oubliettes. Il est alors fort probable que vous n'ayez pas le goût de frapper sur un oreiller ni même de faire de profondes respirations. Le petit rituel que nous avons vu précédemment pour drainer les émotions est alors tout indiqué pour évacuer la colère et le dépit.

Tous les exercices reliés à la colère doivent être pratiqués sur de courtes périodes, soit environ deux minutes. Les pratiquer huit heures par jour risquerait de vous conduire tout droit en psychiatrie ! Ces exercices doivent être perçus comme faisant partie d'une trousse d'urgence pour vous aider à vous défouler et à libérer vos émotions, mais ils ne règlent pas pour autant la source du conflit qui a généré ces émotions. Si la figure de quelqu'un ne vous revient pas, ce n'est pas en faisant ces petits exercices que tout se réglera.

Il est donc extrêmement important d'apprendre à conscientiser une émotion dérangeante. « Si je vis une colère, d'où vient-elle ? Quelle situation ou personne a fait surgir cette émotion ? Qu'est-ce qui est relié à cette situation ou à cette personne ? » Malheureusement, la majorité des gens négligent d'identifier la source de leurs émotions. On évite d'y penser et encore plus d'y plonger. On engourdit la réflexion qui s'amorce en prenant des calmants, en consommant de l'alcool, etc. Avec le temps, l'émotion pénètre l'organisme et crée une accumulation de frustrations. Je le répète et j'insiste là-dessus (d'ailleurs tout mon enseignement est basé sur la conscience et le fait d'être dans le moment présent) : il faut prendre conscience de ses émotions et ne pas avoir peur de les affronter, de les gérer, de les approfondir et de déraciner leur mystère. Les exercices expliqués précédemment servent de soupapes, mais ce n'est pas en frappant sur un oreiller que le conflit qui est à la base de l'émotion sera réglé. On doit faire un effort pour la contacter et la régler.

Pouvoir compter sur l'écoute d'un ami peut aussi s'avérer salutaire pour nous aider à découvrir et à déraciner une émotion ou un conflit. Il existe aussi d'autres moyens. L'art, par exemple, est une bonne façon de ventiler les émotions. La peinture, la musique, l'écriture, voilà autant de moyens créatifs favorisant l'intériorisation essentielle à la compréhension des conflits. En fait, chacun peut trouver les moyens qui sont à sa portée et qui correspondent à ses intérêts et à son budget. Il est même possible de trouver des rituels dans les traditions ancestrales. Par exemple, dans la tradition amérindienne, il existe un rituel pour libérer une colère. Il s'agit de creuser un trou au pied d'un arbre et d'y déposer visuellement ou symboliquement la colère en question. Vous pouvez aussi décrire votre colère sur un bout de papier et le brûler. L'important est de trouver des moyens qui fonctionnent pour vous, qui sont en accord avec vos valeurs et qui vous apaisent. Il faut se souvenir que le pardon inconditionnel possède une valeur thérapeutique profonde dans le processus de *guérir sa vie*. N'est-ce pas là un enseignement millénaire?

Quand le stress devient excessif
Le trouble du sommeil

Une des premières manifestations de l'excès de stress est le trouble du sommeil. Parallèlement, ce trouble épuise l'organisme et ajoute au stress. Évidemment, un trouble du sommeil peut être causé par un environnement inadéquat, comme par exemple les champs électromagnétiques créés par un réveil-matin placé trop près du lit. Mais cet aspect sera développé ultérieurement lorsque nous parlerons d'environnement. Pour l'instant, attardons-nous sur les troubles du sommeil qui sont reliés au stress, ainsi que sur les moyens pour y remédier.

Pour les troubles de sommeil légers et intermittents, les exercices « santé » qui vous ont été présentés auparavant peuvent s'avérer d'une grande utilité, car ils ont la capacité de distraire le mental (l'approche cognitive) qui crée le stress de vouloir dormir à tout prix. Cependant, si une personne se réveille fréquemment vers quatre heures du matin et qu'elle arrive difficilement à retrouver le sommeil par la suite, et ce sur une période de plus d'un mois, on peut y voir un signe avant-coureur d'une dépression ou d'un burnout. Il faudra alors penser à consulter un professionnel de la santé afin d'apporter des correctifs importants – et sans doute urgents – à votre mode de vie. Tenir un journal du sommeil peut s'avérer une démarche très utile à entreprendre avant de consulter.

> «Un bon sommeil est une personne qui dort bien
> et qui ne se réveille pas durant la nuit
> ou bien retrouve sans difficulté le sommeil.
> Elle se réveille sans problème le matin
> et ne se sent ni fatigué ni anxieuse ni hyperactive.
> Un bon sommeil procure une vitalité
> qui dure du début jusqu'à la fin de la journée. »

Deepak Chopra

Exemple d'un journal du sommeil :

Date :

Sieste, moment, durée :

Heure du coucher :

Délai avant d'éteindre les lumières :

Délai avant l'endormissement :

Nombre de réveils :

Durée de la plus longue période sans dormir :

Heure du dernier réveil (le matin) :

Délai avant le lever :

Durée totale du sommeil :

Solutions naturelles aux troubles de sommeil léger

Hygiène du sommeil en dix règles

1) Éviter les activités stimulantes avant de se coucher.

2) Ne pas se coucher avant d'être somnolent.

3) Se lever à la même heure tous les matins, y compris les fins de semaine.

4) Faire une courte sieste seulement si elle permet un sommeil récupérateur.

5) Ne pas consommer de l'alcool deux heures avant de se coucher.

6) Éviter la caféine après seize heures.

7) Éliminer la nicotine en soirée.

8) Faire de l'exercice avant dix-huit heures.

9) Une collation légère (lait ou biscuits) pourrait favoriser le sommeil.

10) Créer un environnement confortable (chaleur, humidité et bruit). Éviter les ordinateurs et les postes de télévision dans la chambre à coucher.

Les produits naturels à prendre au coucher

- Lait chaud (eh oui!, encore le tryptophane peut-être)

- Tisanes relaxantes : camomille, tilleul, passiflore, valériane

- Comprimés de plantes relaxantes : tilleul, houblon, escholzia, valériane, marjolaine et millepertuis (attention aux interactions médicamenteuses avec le millepertuis)

- Complexes homéopathiques : Sédilor, Homéogène-46, Sédatil, Passiflore-GH

- Huiles essentielles :

  - Mélisse : 3 gouttes dans un bain chaud.

  - Huile d'orange : 3 gouttes par la bouche dans une cuillérée à table d'huile d'olive au coucher. ATTENTION : Il ne faut pas en aucun cas dépasser la dose et vous devez respecter le mode de prise.

  - Respirer de l'huile essentielle de lavande durant trois minutes aura pour effet de ralentir la fréquence de vos ondes cérébrales et de favoriser le repos.

- La mélatonine : 1 mg au coucher aide à harmoniser votre horloge biologique surtout si vous avez plus de 40 ans.

Les exercices favorisant le sommeil

Premier exercice : avoir le bon œil

Il s'agit de demeurer étendu sur le dos en gardant les yeux fermés. Puis, vous déposez délicatement le pouce et l'index de la main droite sur vos deux yeux. Abandonnez-vous ainsi pendant deux minutes, sans appliquer aucune pression. Puis, retirez délicatement votre main. Vous vous concentrez ainsi sur autre chose que le seul fait de penser à dormir.

Second exercice : le peigne ou la brosse

Prenez une brosse à cheveux dans chacune de vos mains, les dents de la brosse placées contre la paume de vos mains. Serrez fortement les brosses pendant 15 secondes, puis relâchez. Répétez l'exercice durant 10 minutes. De cette manière, vous exercez un massage des points de réflexologie situés à l'intérieur de la main, favorisant ainsi un meilleur sommeil.

Troisième exercice : Le gros orteil

Cet exercice consiste à masser le dessous du gros orteil, endroit qui, en réflexologie, correspond à la glande pituitaire. Avec votre pouce, partez du dessous du gros orteil et descendez en direction du talon, puis avec l'ongle du pouce, vous remontez vers le gros orteil. Vous pouvez masser chaque pied pendant cinq à dix minutes et répéter ce massage tous les jours sur une période relativement courte ou chaque fois que l'insomnie s'installe. La monotonie de cet exercice aura raison de votre résistance à dormir.

La relaxation

Pratiquer une forme ou une autre de relaxation sur une base régulière favorise un sommeil sain et réparateur. Plusieurs méthodes de relaxation sont disponibles. Il s'agit de trouver celle qui vous convient le mieux et de la pratiquer régulièrement. Certaines personnes vont préférer travailler en relaxation à partir de musiques spécialement conçues par des spécialistes. D'autres opteront pour le yoga, le taï chi, le chi qong, le «body scanning», la méthode de Jacobson, la chromothérapie, l'eutonie, la méthode Feldenkraïs ou d'autres formes de relaxation corporelle. Pour ma part, je suis un partisan de la méthode du «Training Autogène» qui a été inventée par deux psychiatres, Schultz et Luthe. Cette forme de relaxation est la plus étudiée et la plus utilisée dans les milieux de soins psychosomatiques.

Le training autogène : Schultz & Luthe – 6 inductions

1. Mon bras   droit   est lourd

   Ma jambe   gauche

2. Mon bras   droit   est chaud

   Ma jambe   gauche

3. Mon cœur **va**
   calme et bien

4. **Ça** me respire
   calme et bien

5. Mon plexus
   est chaud

6. Mon front
   est calme et frais

Répéter mentalement 3 fois chaque induction.

N.B.   Dans les inductions 3 et 4, les mots *va* et *ça* ont une utilité pour la détente.

Cette méthode bénéficie d'un solide dossier scientifique démontrant son efficacité.

Le massage

Le massage favorise également la détente. Si vous avez la chance de vivre avec une personne dévouée et attentive, elle n'hésitera pas à vous prodiguer des massages relaxants, même si elle n'a que très peu de connaissances dans ce domaine. De toute façon, elle sera aussi gagnante puisque son massage vous évitera de tourner en rond dans le lit, lui permettant ainsi de dormir plus calmement !

Si vous pouvez vous le permettre, vous pouvez aussi opter pour des massages dispensés par des professionnels. Recevoir un massage une fois par semaine peut faire le plus grand bien. Sinon, il existe des sessions d'automassage, aussi appelé Do In, qui pourraient vous permettre un retour à vous-même. La relaxation mentale, mais aussi physique, que vous en retirerez aura des effets bénéfiques aussi bien sur votre gestion du stress que sur votre sommeil!

Faire l'amour

Faire l'amour apporte une détente générale de tout l'organisme. De plus, cela calme les tensions mentales et apaise les préoccupations qui troublent le sommeil. Aussi bien joindre l'utile à l'agréable!

La musique

Bien que nous parlerons bientôt des effets de la musique sur la santé, contentons-nous pour l'instant de retenir que la musique a un effet bénéfique sur le sommeil, à condition, bien entendu, de choisir une musique que l'on aime. «À chacun son son!»

Les somnifères classiques

Les plus connus sont *Immovane*, *Mogadon*, *Restoril* et *Dalmane*. Si ces produits sont très utiles pour traiter les cas d'insomnie sévères ou pour venir en aide aux personnes qui souffrent de dépression, ils sont à prendre avec précaution lorsqu'il s'agit de régler des troubles légers du sommeil. Avant d'utiliser des somnifères, il est conseillé de consulter un spécialiste de la santé. N'oubliez surtout pas que ce genre de médicament, pris sur une longue période, crée une accoutumance et qu'il se produit souvent un effet «rebond» lorsqu'on tente de les arrêter.

Trucs anti-insomnie!

Éviter de rester au lit plus de 30 minutes avec un problème de sommeil. Mieux vaut se lever et faire une activité monotone ou encore lire un peu. Je dis souvent à la blague à des patients de conserver des parties de baseball ou de bowling sur cassettes vidéo et de les visionner lorsque le sommeil tarde à venir. Généralement, le rythme de ce genre de spectacle suffit à provoquer le sommeil... Si le sommeil ne vient vraiment pas, ce n'est pas le temps de faire son rapport d'impôt!

Deux à trois fois par semaine, prendre un bain dans lequel on ajoute du sel de mer peut aussi avoir des effets bénéfiques sur le sommeil, principalement si vous travaillez beaucoup devant l'ordinateur. Enfin, analysez votre environnement. Y a-t-il un bruit que vous pourriez éliminer? Un éclairage que vous pourriez supprimer? Un appareil électrique que vous pourriez déplacer? Un ordinateur à sortir de la chambre à coucher? Une simple analyse de l'environnement peut vous permettre d'apporter des changements salutaires. Songez-y!

Capsule

Une étude faite en médecine familiale il y a de cela quelques années a démontré que les personnes s'accordent en moyenne 11 minutes par jour pour eux-mêmes.

L'HUMOUR

L'humour au quotidien est un antidote au stress et un moyen de préserver votre santé contre la folie du monde moderne. Saviez-vous qu'au début du siècle, les gens riaient en moyenne douze (12) minutes par jour et qu'actuellement la moyenne se situe autour de quatre (4) minutes? On rit de moins en moins. Le sérieux et la «sinistrose» gagnent du terrain chaque jour. Nous devons réapprendre à introduire l'humour dans notre quotidien en choisissant consciemment de poser des gestes drôles ou de faire des activités rigolotes… sans toutefois entacher notre crédibilité.

Preuves à l'appui

C'est au journaliste américain Norman Cousin qu'on attribue les premières recherches «sérieuses» sur l'humour et le rire. En 1975, Norman Cousin reçoit un diagnostic de spondylite ankylosante (maladie similaire à une arthrite invalidante). Au lieu de rester atterré par cette mauvaise nouvelle, il décide d'entreprendre un processus générant au moins 30 minutes de rire par jour, et ce sur une période de quatre mois. Durant cette même période, il prend des suppléments de vitamine C. Simultanément, il remarque une diminution de ses douleurs dorsales alors que son médecin constate une baisse du témoin de sédimentation, soit le degré d'inflammation dans le sang.

Des chercheurs se sont par la suite intéressés aux effets du rire et de l'humour dans le processus de guérison. Ils ont découvert que le rire favorisait la sécrétion de nos propres antidouleurs, appelés endorphines, cette sécrétion étant propre à chaque individu. D'autres recherches sur le rire ont permis de mieux comprendre son action sur la synchronisation des hémisphères du cerveau. Ainsi, un individu principalement orienté vers la logique et le raisonnement induira un niveau émotif remarquable après une période de rire, alors qu'un individu en proie à une émotion intense induira un soupçon de logique.

J'ai toujours en mémoire le cas d'un conflit syndical qui semblait sans issue et qui s'est pourtant réglé à la satisfaction des deux parties après que les gens présents à la table de négociation eurent accepté de vivre une séance de rigolothérapie durant trente minutes. Ceux qui étaient axés sur la logique se sont ouverts aux sentiments et aux émotions, alors que ceux qui fonctionnaient principalement au niveau de leurs émotions ont intégré une certaine logique. Les cerveaux gauches et droits de chaque individu se sont synchronisés après avoir ri un bon coup. Il ne faut pas en déduire que tous les problèmes syndicaux peuvent se régler de cette façon, mais dans certaines situations, ça vaut le coup d'essayer. Comme me disait un de mes patients, devenu un adepte de l'humour comme moyen de relaxer et de favoriser la santé : «Si j'avais commencé à rire avant mon mariage, je ne serais peut-être pas divorcé aujourd'hui !»

Les formes d'humour

Il est possible d'identifier trois formes d'humour.

- **Il y a d'abord le «grand rire».** C'est l'éclat de rire spontané, le fou rire. Il permet à la respiration de se régulariser. En médecine chinoise, on dit que le grand rire dilate la rate par un massage du diaphragme, soit le muscle de la respiration. À la fois très bénéfique pour l'organisme, il est communicatif et il apaise les tensions.

- **Il y a l'humour « silence ».** C'est un humour beaucoup plus subtil qui se vit entre deux personnes, principalement au niveau du regard et de la complicité. Sur un simple regard, elles se comprennent immédiatement et elles en retirent les bienfaits équivalents à une bonne dose d'humour même si tout se passe en parfait silence. Cette forme de communication est très utile en relation d'aide. Un thérapeute peut, grâce à un regard rempli d'humour, apporter à son patient une relaxation intérieure, un bien-être, sans qu'aucun mot ne soit prononcé, c'est le regard de la guérison. C'est une forme d'humour silencieux, mais combien puissant. Pour moi, c'est l'atout ultime dans une relation d'aide.

- **Il y a l'humour « pince sans rire ».** C'est celui que je préfère parmi tous et que je pratique le plus souvent possible. Cet humour se passe subtilement ; il n'est pas toujours apparent et il passe souvent inaperçu pour les personnes de l'entourage. C'est une forme d'humour plus intérieur que le grand rire et qui nous ramène au temps présent. Il peut s'agir d'une pensée amusante sur une situation, d'un geste anodin qui vient casser la rigueur d'une réunion sérieuse et ennuyante, d'un jeu de mots que vous serez peut-être le seul à comprendre… Cette forme d'humour devient très intime. Elle peut s'appliquer à toutes les situations et nous permettre de reprendre le contact avec le moment présent.

L'humour devient ainsi une forme de méditation active pratiquée au quotidien, un art de vivre. Par exemple, essayez cet exercice : la prochaine fois qu'un individu vient vous agresser verbalement, pendant qu'il déferle ses injures ou ses revendications, pliez légèrement vos genoux sans même qu'il ne s'en rende compte. Par ce simple geste, vous synchronisez les hémisphères gauche et droit de votre cerveau, vous permettant ainsi de décrocher de la colère pendant une fraction de seconde. Vous aurez réussi à établir un équilibre entre la logique et l'émotion. De la même manière, lors d'une conversation téléphonique hostile, vous pouvez changer le combiné de côté, ce qui produira le même effet. L'humour se retrouve automatiquement dans le quotidien grâce à des petits trucs aussi simples que ceux-là.

Trucs d'humour au quotidien

La démarche du « niaiseux »

Après une journée frustrante au travail, au lieu de transmettre vos frustrations et votre colère aux membres de votre famille, isolez-vous et pratiquez la démarche du « niaiseux ». Debout (évidemment !), les genoux légèrement fléchis, le bassin relâché, les bras détendus et pendants le long du corps, la nuque tombante vers l'avant et pour obtenir un meilleur effet, la langue sortie. Tout ce qu'il vous reste à faire ensuite c'est de déambuler dans une pièce de la maison. Vous pouvez le faire aussi longtemps que vous en sentez le besoin, (généralement une minute suffit) mais vaut mieux avertir les membres de votre famille avant ! Cet exercice, anodin en apparence, fait tomber les tensions, dilue les frustrations et vous met dans un meilleur état intérieur. Nous retrouvons ici certaines similitudes avec des approches ancestrales qui travaillent sur les tensions du bassin comme par exemple le Baladi.

La démarche du « niaiseux », version modifiée

Cet exercice, qui peut être pratiqué n'importe où, ne prend qu'une seconde à faire et il est possible d'en retirer de grands bénéfices. En déambulant dans un corridor, que vous soyez au travail ou dans un lieu public, vous pliez un genou (ou les deux) une fraction de seconde et vous continuez ensuite comme si rien ne s'était passé. Vous pouvez aussi poursuivre en pliant un genou tous les cinq pas. Vous aurez peut-être déridé une ou deux personnes sur votre passage, mais vous aurez surtout tenté de synchroniser les deux hémisphères de votre cerveau.

Le rire conscient

Isolez-vous dans une pièce. En position debout, les genoux légèrement fléchis, prenez une grande respiration et expirez en simulant un rire en allant jusqu'au bout de votre respiration. Répétez trois fois.

Le rire « voyelles »

Simulez un rire avec chacune des voyelles : Ah,ah, ah, ah... Hé, hé, hé, hé... Hi,hi,hi, hi... Ho,ho,ho,ho... Hu, hu, hu, hu... Attention : il faut pratiquer cet exercice à voix haute ! Je l'avoue, cette pratique demande une bonne dose de courage au début. De plus, le chant possède une valeur d'harmonisation fort appréciable.

Les bandes dessinées

Les bandes dessinées humoristiques sont aussi d'excellents outils pour décompresser et stimuler votre sens de l'humour. Vous les aimiez lorsque vous étiez jeune ? Il est temps d'y revenir ! Redécouvrez celles que vous aimiez ; allez fouiner dans des librairies, vous en trouverez sûrement plusieurs qui vous plairont. Ou sinon, regardez les caricatures ou les bandes dessinées dans les journaux.

Trucs et farces

Osez magasiner des trucs rigolos dans une boutique de
«farces et attrapes». Je repense souvent à cet homme
d'affaires de 51 ans venu me consulter pour ce que j'appelle aujourd'hui «une sinistrose». Il était déprimé, voyait
la vie en noir, dormait mal et sa libido, elle, dormait trop!
Après m'être assuré qu'il n'était pas en état de dépression
majeure, je lui ai demandé ce qui le faisait rire lorsqu'il avait
20 ans. Spontanément, il m'a répondu que les gadgets d'humour l'ont toujours beaucoup amusé. Sans hésiter, je lui
ai suggéré de faire une visite dans une boutique de «farces
et attrapes». Une semaine plus tard, il est revenu me voir
en m'avouant qu'il avait fait quelque chose de complètement irrationnel, chose qui ne lui était pas arrivé depuis
belle lurette. Il s'était procuré un miroir qui rigole et il
l'avait caché dans son bureau. Toutes les fois qu'il en sentait
le besoin, il atténuait ses tensions en sortant son miroir et
en le bougeant; le rire émis par le miroir lui apportait une
détente instantanée!

Enregistrez et écoutez des rires

Enregistrez le rire communicatif d'une ou de plusieurs personnes et écoutez cet enregistrement dans une congestion
routière lors du retour à la maison.

En 1995, mon ami Raoul Duguay, poète-musicien-chanteur,
et moi, nous avons fait une expérience hors du commun.
Durant plus de deux (2) jours, nous avons enregistré les
rires de personnes de tout âge et toute nationalité. Des exercices de rigolothérapie bien orchestrés par Raoul nous ont
permis d'avoir accès à une multitude de sons et de types de
rires que nous avons par la suite enregistrés. À l'étude de cet

enregistrement, nous avons découvert qu'il existe des gens qui rient en do, d'autres en ré, etc. Les gens rient souvent sur une fréquence qui les rejoints. À chacun son intimité dans l'humour. Ce qui vous fera rire ne fera peut-être pas rire votre voisin! Lorsque vous devenez des adeptes de l'humour, vous êtes «condamnés» à créer, car ce qui vous fait rire aujourd'hui ne vous fera peut-être pas rire demain. Créer c'est la vie, le jour où on arrête de créer, c'est la mort qui s'installe lentement: une autre porte vers «guérir sa vie».

Visionnez des films d'humour

Il existe des films pour tous les goûts et pour tous les genres. Impossible de ne pas trouver un sujet ou un acteur qui vous fasse rire. Encore une fois, aucune restriction: plusieurs fois par semaine ne vous fera pas mourir (sauf de rire, peut-être). Vous savez, le seul effet secondaire du rire exagéré, c'est la mort (être mort de rire!), car le rire est un exercice cardio-vasculaire important!

Assistez à des spectacles d'humour

Ici encore, la variété est au menu, à vous de choisir. Quoique plus coûteux que les films, ils ont souvent plus d'impact, car les rires dans l'audience stimulent votre propre rire.

Jouez un tour à une personne que vous aimez

Jouer un tour simple et inoffensif peut dérider aussi bien celui qui joue le tour que celui qui se fait attraper. En plus, cela demande de faire l'effort de concevoir un truc drôle. C'est excellent!

Si ces trucs ne suffisent pas à vous dérider – ou du moins à susciter le rire – allez-y pour les grands moyens: une séance de chatouille intensive!

Il revient à chacun de trouver la forme d'humour qui lui convient et de l'entretenir. Et comme le disait si bien l'humoriste *Raymond Devos*: « J'ai ri, me voilà désarmé ! ». Et au bout du rire, il y a le silence, le pont menant vers la conscience.

LA MUSIQUE

Musique ou médecine ? Voilà le choix difficile auquel je fus confronté lorsque vint le temps pour moi de choisir une carrière. Il serait difficile de vous cacher que c'est la médecine qui est montée sur le podium... Toutefois, la musique est toujours demeurée présente dans ma vie, et aujourd'hui, elle fait partie des suggestions pratiques et non médicamenteuses que je propose à mes clients.

Le son, de la création à la centration

Les exemples démontrant le pouvoir créateur, libérateur ou destructeur des sons ne manquent pas. Dans l'Ancien Testament, il est dit que l'Univers naquit du Verbe divin. De même, selon une légende grecque, le poète Amphion aurait bâti la ville de Thèbes en s'aidant des harmonies conjuguées d'une lyre et d'une flûte. Les Hindous, quant à eux, ont découvert les vertus de l'union des sons et des vibrations qui composent l'Univers. Un exemple en est la fameuse syllabe sacrée « Om ». Cette syllabe répétée ou chantée permettrait d'atteindre un haut niveau de centration et de conscience.

Mythes ou réalité

Superstitions ou légendes ? Vestiges de vieilles traditions occultes ou fabulations ? Au contraire, les études plus récentes semblent démontrer le lien étroit qui existe entre le son et le corps humain.

L'institut Monroe, situé aux États-Unis, a exploré les effets de la musique sur le cerveau. On a ainsi pu mettre en lumière la dominance du cerveau droit dans l'analyse des mélodies, des accords, des sons de la nature, de la structure et des tonalités complexes ; celle de l'hémisphère gauche dans l'analyse des aspects techniques et des paroles d'une œuvre musicale. Toutefois, la musique est un art. Une approche trop cartésienne de la question risquerait de nous éloigner de cette intensité de vie que génère un son. Un mouvement d'intériorisation est donc nécessaire pour nous permettre de faire le pont entre l'art et la science. Telle est la démarche que nous devons entreprendre pour trouver ou émettre la vibration qui nous rejoint.

Un diapason sur deux pattes

L'être humain est un émetteur-récepteur sensible aux vibrations sonores. La perception des sons provoque chez lui une sorte de résonance selon une échelle située dans la zone des quatre octaves correspondant à la variation de la voix humaine. Depuis la voix de l'homme la plus grave allant à celle de la femme la plus aiguë, les possibilités vocales de l'être humain sont comprises entre 65 Hz et 1046 Hz. De plus, en médecine chinoise, on a découvert le lien qui existe entre les notes de la gamme et les méridiens, chacun d'eux pouvant être tonifié ou dispersé par une note spécifique.

Musique universelle, réaction individuelle

Il n'existe pas de musique universelle qui agisse de manière identique sur chacun de nous. Certains pourront se relaxer sur une balade des *Rolling Stones,* alors que d'autres auront besoin du célèbre *Canon de Pachelbel* dont la fréquence se rapproche de celle du rythme cardiaque.

Cependant, comme on le dit souvent, il y a toujours des exceptions à la règle. Le professeur A. Tomatis a démontré que la musique de Mozart est ressentie d'une façon harmonieuse tant par un Européen, un Inuit que par un Indien d'Amazonie. D'autres études ont démontré que les humains ne sont pas les seuls êtres vivants sensibles aux sons. Les animaux et les végétaux y réagissent aussi à leur manière. Par exemple, la lactation des vaches est activée par la musique classique, Mozart de préférence…

La musique au service de la santé

Paul McCartney, Georges Michaël, Phil Collins et David Bowie chantent régulièrement au profit de la musicothérapie. En sol québécois, cette science de la musique a fait des débuts très timides dans les écoles pour finalement gagner son statut universitaire. Les personnes atteintes du SIDA, de la maladie d'Alzheimer, de troubles du sommeil, des troubles d'élocution ou d'apprentissage, les handicapés mentaux, les sujets dépressifs et toute personne en processus de cheminement pourraient tirer profit de la musicothérapie.

Cette approche de la santé invite la personne à revenir à l'intérieur d'elle-même, contact intime qu'elle perd souvent lorsque survient la maladie et qu'elle part en quête des solutions à son problème. Elle doit trouver le son qui sera capable de l'aider à retrouver l'équilibre qu'elle a perdu. Un exercice fort simple pour initier ce mouvement pourrait être celui d'explorer les sons de base de la nature. Autrefois, les médecins s'inspiraient de la nature et des rites afin d'amorcer un processus de guérison. À cette époque, le son tenait déjà une place de choix au niveau de la santé.

Petit guide maison

Voici, en version améliorée, un résumé des références musicales que j'ai présentées dans la revue *Le Médecin du Québec* en 1995[15], et que j'utilise encore fréquemment aujourd'hui. Vous pouvez personnaliser ce petit guide selon les effets que vous ressentirez en vous-même. En repérant votre type musical, vous pourrez ainsi vous créer un palmarès personnalisé.

Relaxation

Micheline Allaire, *Le Chant des énergies*, Production de la 6ᵉ
Claude Debussy, *Trois nocturnes pour l'orchestre*, Nᵒ 1, Nuages
Franz Schubert, *Symphonie no 6*, mouvement lent

Méditation

Méditation, Classical Relaxation, Laser Light
Patrick Bernhardt, *Atlantis Angelis*, Devi Communications
Deva Premal, *The essence*, Same Book Music

Centration

Metamusic, *Sleeping through the rain*, Collection Hemi Sync

Lâcher-prise

La compagnie Créole, *Ça fait rire les oiseaux*
Latin Groove, Putumayo

Après une journée difficile

Au retour à la maison, dans la voiture, préférez une musique plus «hard» pour oublier vos tracas de la journée: *Métallica, Led Zeppelin, Les Cow-boys Fringants...*

Ou encore comme soutien à un traitement médical:

Personne de type dépressif léger

Saint-Saens, *Le carnaval des animaux*

Personne de type anxieux

Tchaïkovski, *La belle au bois dormant, prologue*
Debussy, *Les pas dans la neige*
Franck C, *Panis Angelicus*

Personne souffrant d'insomnie

Schubert, *Ave Maria*
Schuman, *Rêverie*
Bach, *Premier et deuxième préludes*

Personne souffrant de fatigue sans lésion organique

Paganini, *Concerto pour violon et orchestre,*
N° 4, 1ᵉʳ mouvement

Une vie sans fausse note

Devenir conscient de l'effet de la musique sur le corps, c'est comprendre que de la médecine à la musique, il n'y a qu'un son. Il revient alors à chacun de nous d'apprendre à mener une vie sans fausse note!

CHAPITRE 4

LE MOUVEMENT

Dans le concept de santé globale et dans la vision de la prise en charge de sa propre santé que je propose, le mouvement est un aspect incontournable, voire primordial. Le mouvement, c'est la vie! Une eau mouvante qui circule est une eau vivante qui se régénère. Une eau stagnante devient vite une eau morte, une eau intoxiquée. Le corps humain a besoin de bouger. Je ne crois pas qu'il faille ici en faire la démonstration, car déjà de nombreuses études ont démontré l'importance du mouvement au niveau de la santé.

La sédentarité entraîne la stase de toutes les fonctions du corps. Elle est reconnue pour être en cause dans l'apparition de plusieurs maladies dégénératives, dont les maladies cardiovasculaires sont un exemple probant. Sans vouloir faire de jeu de mots, il faut maintenant passer à l'action. Notre prise de conscience doit être suffisamment importante pour nous inciter à intégrer l'exercice comme faisant partie de notre quotidien.

Notre mode de vie

Le mode de vie que nous menons aujourd'hui ne favorise plus le mouvement comme il le faisait auparavant. Et ce qui est paradoxal, c'est qu'avec la dégradation de la qualité des éléments qui composent notre vie – air, alimentation, stress, etc. – nous aurions besoin plus que jamais d'un programme d'exercices quotidien afin de réussir à demeurer en « vie ». Notre vie est peut-être plus facile aujourd'hui qu'il y a 100 ans, mais cette facilité représente pour nous une arme à double tranchant. Rappelons-nous de nos ancêtres ou même de nos parents! Le mouvement était beaucoup plus présent dans leurs activités quotidiennes : ils travaillaient manuellement, les moyens de transport n'étaient pas aussi élaborés, les loisirs étaient axés vers le mouvement comme la pratique de sports ou le jeu en plein air.

Aujourd'hui, c'est tout le contraire! On prend la voiture pour faire une simple course au coin de la rue, les emplois de bureau se sont multipliés, la machinerie a remplacé l'homme dans plusieurs tâches, la télé et les ordinateurs nous enchaînent à notre fauteuil favori, etc. Alors que le mouvement faisait auparavant partie intégrante de la vie quotidienne, il faut dorénavant faire un effort pour l'inclure dans nos habitudes.

Quel est le premier pas à faire? Devenir conscient de la situation et choisir d'intégrer l'exercice dans notre vie de tous les jours. Je mentionne souvent à mes patients que la première partie du corps à mettre en mouvement se situe entre nos deux oreilles. **Il faut tout d'abord décider de bouger en dedans** avant de commencer à bouger au dehors.

Les trois aspects de l'exercice

L'exercice devrait comprendre des séquences destinées à maintenir ou à améliorer les trois aspects suivants : la souplesse du corps, la musculature et le système cardiovasculaire.

La souplesse

Avez-vous déjà observé un chat ou un chien qui s'étire après avoir fait la sieste ? Quelques petits étirements et les voilà prêts à reprendre leurs activités. Pourquoi ne pas les imiter et débuter notre journée par des étirements langoureux, faire du stretching quoi ! Les étirements sont faciles à exécuter et il n'en faut pas beaucoup pour répondre aux besoins du corps. Si vous tendez l'oreille, votre corps vous dictera lui-même les parties à étirer. Quelques minutes par jour suffisent.

Les étirements peuvent se faire au réveil, mais également tout au long de la journée. Ils détendent la colonne vertébrale, délient les muscles et préservent la souplesse du corps en entier. Par exemple, lorsque vous êtes dans une file d'attente, pourquoi ne pas soulever vos mollets ? Et pour ceux qui désirent aller plus loin, il existe de très bons volumes et programmes d'entraînement centrés uniquement sur le stretching ou les étirements.

La musculation

Une bonne musculature réduit les risques d'accident ou de blessure à la suite de l'effort. Une musculature tonifiée, sans être athlétique, pourra vous aider à résoudre des maux de dos par exemple. Il n'est pas nécessaire de suivre un programme d'entraînement rigoureux. Il suffit simplement d'entretenir sa musculature. Les pompes (connus au Québec sous le nom de *push up*), les redressements assis pour les abdominaux, quelques mouvements avec des poids légers, voilà autant de moyens mis à notre disposition pour maintenir le tonus de vos muscles sans pression et avec le sourire en trame de fond.

Le système cardiovasculaire

De tous les aspects de l'exercice, l'entretien de notre système cardiovasculaire est, de loin, le plus important de tous. Les problèmes cardiaques, les troubles respiratoires, les accidents vasculaires pourraient en grande partie être évités grâce à un système cardiovasculaire en bonne santé. Encore une fois, il n'est pas nécessaire de s'inscrire à un programme rigoureux. Il existe de nombreux moyens, simples et faciles d'accès, pour améliorer et maintenir votre système cardiovasculaire en bon état.

La marche

Le premier exercice à pratiquer, le plus recommandé parmi tous et le plus facile à insérer dans notre vie est sans aucun doute la marche. On estime que le fait de faire 10 000 pas dans une journée permet de conserver une bonne santé cardiovasculaire. Il peut être utile de se procurer un podomètre (compte-pas) afin de vérifier le nombre de pas que vous faites dans une journée et ainsi apporter les correctifs pour améliorer votre performance.

Évidemment, une marche rapide d'environ 20 à 30 minutes par jour est à privilégier. Le critère indiquant que la marche est efficace est le suivant : on ne doit pas être capable de discuter en maintenant un débit normal, sans pour autant être essoufflé. Marcher seul devient parfois nécessaire, aussi bien pour respecter notre rythme que pour faire de cet exercice un moment propice pour se ventiler l'esprit. Et n'oubliez surtout jamais que si marcher est excellent pour la santé, marcher en ruminant ses problèmes est on ne peut plus néfaste.

Il faut donc marcher en cultivant un état d'esprit empreint de calme et de sérénité. La marche devient alors un exercice physique et une forme de méditation ! J'irais même jusqu'à dire que pour les personnes qui souffrent de dépression légère, une marche régulière peut être aussi efficace que le fait de prendre des antidépresseurs. Tout comme une personne atteinte d'une maladie grave comme le cancer tirera elle aussi de grands bénéfices de la marche régulière : meilleur appétit, élimination plus régulière et meilleure tolérance aux médicaments.

Et si jamais il vous est impossible de faire une marche rapide tous les jours, vous pouvez néanmoins modifier vos habitudes afin d'augmenter le nombre de pas que vous faites dans une journée. Des trucs aussi simples que de garer votre automobile à quelques coins de rue de votre destination, vous rendre à la poste ou au dépanneur à pied, emprunter les escaliers au lieu de choisir l'ascenseur, sont autant de moyens pour y arriver. Et surtout, surtout… éteignez la télé le plus souvent possible. Vous serez alors obligé de bouger, de faire autre chose que de rester assis sur le divan ! Au début, il suffit bien souvent de se motiver, de vouloir améliorer sa condition physique, et une fois l'habitude prise, vous ne pourrez plus vous en passer.

Mille et une façons de bouger

Il existe une panoplie d'exercices. Bien qu'ils soient possiblement tous efficaces, ils ne sont pas adaptés à tout le monde. Il faut donc choisir ce qui vous convient et surtout ce qui est adapté à votre condition, à votre mode de vie. Le choix du type d'exercice est un choix très personnel. Il faut éviter d'agir sous l'impulsion en nous abonnant à un club sportif tout comme il ne sert à rien de s'inscrire dans un centre de conditionnement physique ultrasophistiqué si votre horaire ne vous le permet pas. Vous aurez vite fait d'abandonner et de retomber dans l'inertie. Quant à acheter et à installer des appareils de conditionnement dans votre sous-sol, il faut vous assurer d'avoir la discipline nécessaire pour les utiliser sur une base régulière, sinon ces appareils coûteux pèseront lourd sur vos regrets.

De la même façon, les deux techniques orientales très prisées actuellement que sont le *Taï chi* et le *Qi-Qong* ne conviennent pas nécessairement à tout le monde, ne serait-ce que par la philosophie véhiculée par ces deux approches. Des personnes aux prises avec une activité professionnelle très intense n'auront peut-être pas l'attitude mentale voulue pour en bénéficier vraiment. Par contre, lorsqu'ils auront retrouvé un rythme de vie plus équilibré, peut-être considèreront-ils cette option d'un tout nouvel œil.

Le menu est vaste, à chacun de choisir. La pratique d'un sport est une excellente activité si votre condition physique vous le permet. Le yoga est aussi un moyen qui se veut accessible à la majorité. Et il y a toutes les activités que l'on peut accomplir autour de la maison. Au lieu d'engager une personne pour tondre la pelouse ou ramasser les feuilles, pourquoi ne pas le faire soi-même? Dans la même veine, jouer dehors avec les enfants ou avec des amis est l'un des moyens les plus simples et les plus amusants de faire de l'exercice et de bouger. Patiner, glisser dans la neige, nager, sillonner les alentours grâce à des randonnées pédestres, faire de la bicyclette… Vous avez l'embarras du choix!

Trop fatigué pour bouger?

– «Docteur, je voudrais faire de l'exercice, mais après ma journée de travail, je suis crevé. Je n'ai pas d'autres choix que de me reposer.».

J'entends cet argument trop souvent. Les gens viennent consulter parce qu'ils se sentent fatigués, épuisés et qu'ils manquent d'entrain. Après m'être assuré qu'il n'y a pas de maladie sous-jacente, que rien de majeur n'affecte cette personne, je lui conseille habituellement de bouger, de faire de l'exercice, de marcher. C'est alors qu'elle me répond qu'elle est trop fatiguée! Alors, pour se reposer, elle s'assoit devant la télé… Plus elle demeure inactive, plus elle se sent fatiguée; plus elle se sent fatiguée, plus elle ressent le besoin de se reposer. Vous voyez le cercle vicieux qui s'installe.

Pourtant, les gens sont toujours surpris de voir leur condition s'améliorer à partir du moment où ils commencent à faire de l'exercice. En peu de temps, ils se sentent investis d'une nouvelle énergie: la respiration s'améliore, les cellules s'oxygènent et se désintoxiquent, la circulation est de meilleure qualité, la digestion se fait plus facilement et le corps élimine mieux ses toxines. Bref, la personne se sent mieux.

Aucun miracle! Aucun médicament! Aucune cure! Simplement une des lois de la vie qui est mise en application: la vie est synonyme de mouvement; bouger, c'est la vie! Prenez votre voiture par exemple. Si vous la remisez durant une certaine période de temps et que vous la reprenez par la suite, vous remarquerez qu'elle ne va pas aussi bien qu'avant: son démarrage est moins fringuant, le moteur est encrassé et la carrosserie montrera peut-être des marques de rouille qui n'étaient pas là auparavant. Elle aura besoin d'une mise au point. Votre corps est comparable à votre voiture, en version ultrasophistiquée bien entendu, mais encore faut-il l'entretenir correctement.

En résumé, il importe d'initier un mouvement intérieur qui nous amènera à bouger extérieurement par la suite. Après quoi, il vous restera à choisir quel type d'exercice vous intéresse et lequel est le mieux adapté à votre condition. L'essentiel est de bouger, peu importe ce que vous choisirez comme activité, et d'en faire une habitude de vie dont vous ne pourrez plus vous passer.

Un programme d'exercices vous aidera à contacter ce qu'il y a de plus précieux en vous, la vie à travers la respiration. La plupart des gens qui consultent pour des problèmes psychosomatiques ont une respiration courte et incomplète. Ils sont souvent en situation d'inspiration, c'est-à-dire qu'ils respirent, mais ils oublient d'équilibrer leur respiration par une bonne expiration.

Un dernier conseil, il serait sage de faire le bilan de votre santé et de votre condition physique avant d'entreprendre un programme d'exercices, principalement si vous vous dirigez vers des sports ou vers un entraînement intensif.

CHAPITRE 5

L'ENVIRONNEMENT

Notre santé est de plus en plus en relation avec les facteurs environnementaux. Nous baignons quotidiennement dans des champs électromagnétiques. Et bien que l'impact sur notre santé demeure toujours à l'étude, les symptômes ne sont pas toujours faciles à identifier. J'aimerais débuter ce chapitre en vous racontant deux anecdotes qui seront reprises ultérieurement dans la présentation des histoires de cas à la fin de ce volume.

Il était une fois l'histoire d'une télécommande…

Ginette, une personne âgée de 65 ans, se présente à mon bureau. Elle est référée par un psychiatre pour une dépression traitée depuis plus de deux ans. Selon lui, il n'existe que peu d'éléments pouvant expliquer ce genre de problème psychologique. Il me demande alors de faire une évaluation selon le concept de santé globale afin de vérifier s'il n'y aurait pas d'autres pistes intéressantes pouvant aider cette dame. En parallèle, je recommande une évaluation de la résidence par un groupe d'experts en évaluation de l'environnement et de l'habitat.

Les experts se présentent chez elle et ils procèdent à un questionnaire « santé » élaboré. Ils évaluent toutes les formes de pollution pouvant exister dans l'environnement de la maison : présence d'acariens, de moisissures, etc. Sachant qu'il y a déjà eu des dégâts d'eau au sous-sol et que l'assèchement n'avait pas été fait adéquatement, il est fort possible qu'il y ait encore des moisissures pouvant entraîner une multitude de problèmes de santé : grippes à répétition, douleurs musculaires ou encore tous les symptômes associés aux mycotoxines auxquelles certaines personnes sont plus sensibles que d'autres.

En questionnant Ginette, nous réalisons qu'elle passe plus de six heures par jour devant la télévision en tenant la télécommande dans ses mains, de peur que son conjoint n'écoute des émissions sportives – qu'elle a en horreur. En évaluant la télécommande, les experts découvrent qu'elle dégage un champ électromagnétique quatre fois supérieur à la normale ; à un point tel qu'ils ressentent des picotements lorsqu'ils la tiennent dans leurs mains. La télécommande est alors réparée. Deux mois plus tard, la dame ne présentait plus que 10 % des symptômes dépressifs et la médication a pu être diminuée. La dépression en elle-même était devenue chose du passé. On ne peut certes pas affirmer que toutes les dépressions sont dues aux télécommandes ! Cependant, dans ce cas en particulier, cette personne était peut-être plus sensible, voire plus réactive, aux champs électromagnétiques qu'une autre, tout comme un individu peut être sensible aux tomates et l'autre pas.

Un sommeil de qualité, de la tête aux pieds

Le deuxième cas est celui d'un jeune homme âgé de 18 ans dont la famille vient de déménager dans une nouvelle ville et qui, depuis ce déménagement, souffre d'insomnie. Évidemment, les premières raisons invoquées pour expliquer le trouble du sommeil sont la perte des amis et le déménagement. Cependant, les évaluations psychologiques ne révèlent rien de significatif.

Encore une fois, la maison est évaluée par le groupe d'experts en environnement et ils découvrent quatre prises de courant qui se croisent sous la tête du lit du jeune homme. En rectifiant la situation, notre ami a retrouvé le sommeil.

Une évaluation qui vaut parfois son pesant d'or

Dans un cadre d'évaluation complète en santé globale, il est donc très important de faire le bilan de sa maison et de son lieu de travail. On sait maintenant que le radon, un gaz que l'on retrouve dans certains sols, pourrait être potentiellement cancérigène. Dorénavant, avant de choisir un site pour faire bâtir sa maison ou encore avant de s'établir à la campagne, il deviendra opportun de faire évaluer le site pour connaître la présence potentielle de ce gaz nocif.

Je conseille fortement à tous ceux qui aménagent dans un nouvel habitat de procéder à l'évaluation de l'environnement pour connaître le niveau de bruit, les sources de pollution possibles (ex. un dépotoir à proximité, etc.) et pour apporter les correctifs nécessaires ou souhaitables avant d'amorcer le développement de leur projet.

Conseils éclairés pour une vie de qualité

Parmi les précautions faciles à prendre, en voici une que nous devrions tous mettre en application : éviter de dormir près d'une source électrique importante. Les ordinateurs et les téléviseurs placés dans une chambre à coucher peuvent être en cause lors d'insomnie, même s'ils ne sont pas en fonction. Il en résulte des champs électromagnétiques. Tout comme un réveil-matin électrique placé à moins d'un pied de la tête d'un lit peut nuire à la qualité du sommeil chez ceux qui y sont plus sensibles. Il suffit parfois de vérifier toutes les sources de pollution électromagnétique pour réussir à améliorer la situation.

Évidemment, lorsqu'on évalue la qualité de l'environnement dans une maison, il faut tenir compte des fours à micro-ondes, car leur champ électromagnétique peut être nocif pour certaines personnes alors qu'il est tout à fait anodin pour d'autres. Sans oublier l'utilisation des téléphones cellulaires qui doit aussi être prise en considération dans ce type d'évaluation. Depuis que les compagnies ont été accusées de mettre sur le marché des appareils dont les fréquences et les émissions électromagnétiques pouvaient être responsables de certains cancers du cerveau, elles ont grandement amélioré leur technologie, sans pour autant rendre ces appareils totalement inoffensifs.

Un point doit cependant être pris en considération. Dans le concept de santé globale, lorsqu'on parle de cancer, il faut toujours se rappeler que le cancer n'est pas la maladie d'une seule cause. Le cancer est une maladie multifactorielle où la génétique, l'alimentation, les agents stresseurs et environnementaux ainsi que le sens de la vie sont en cause. Il faut donc éviter les équations réductionnistes telles que « cellulaire = cancer » ou encore « ordinateur = cancer ».

Pour contrer les champs électromagnétiques

Pour les personnes qui sont plus sensibles aux champs électromagnétiques, il existe actuellement un petit appareil appelé « Protecteur de champs électromagnétiques » qui peut être utilisé près des cellulaires ou des ordinateurs pour prévenir les grandes fatigues résultant de leur utilisation. Il s'agit d'un appareil qui disperse les ondes électromagnétiques, offrant ainsi une meilleure protection.

Il existe aussi un conseil que je donne à tous les utilisateurs de ce type d'appareils : prendre un bain d'une durée de quinze minutes dans une eau chaude à laquelle on ajoute un quart de tasse de sel de mer. Ce rituel a la propriété de régénérer la personne en supprimant le surplus d'ions positifs générés par l'utilisation fréquente de tous ces appareils modernes. Il est aussi possible d'installer un émetteur d'ions négatifs dans la pièce principale de la maison. Les ions négatifs sont les mêmes que vous ressentez après un orage ou en pleine nature. Ils induisent un état de calme.

Plusieurs appareils actuellement sur le marché combinent un purificateur d'air à un émetteur d'ions négatifs. Cependant, on ne le dira jamais assez : un entretien méticuleux garantira toujours un meilleur confort. La même recommandation s'applique pour les humidificateurs que l'on utilise en période hivernale et qui, s'ils sont mal entretenus, peuvent devenir la source de plusieurs problèmes de santé. Entre autres les réactions allergiques souvent stimulées par présence de moisissures dans la chambre à coucher.

La tête au nord

Dans le domaine de l'environnement, il existe également nombre de conseils qui nous viennent des médecines anciennes et qui suggèrent aux personnes des trucs à mettre en application dans leur quotidien, comme par exemple orienter le lit de façon à avoir la tête au nord et les pieds au sud ; cette orientation favoriserait la qualité du sommeil.

Il existe également différentes théories que les scientifiques vont se plaire à qualifier de folkloriques, mais dans un concept de santé globale, si vous avez des problèmes de sommeil, n'hésitez pas à faire des tests. Certaines de ces théories peuvent convenir aux uns et non aux autres. Devenez votre propre laboratoire. Évidemment, il ne faut pas se mettre à croire aux miracles ; il faut rester terre à terre et à l'affût des recherches qui se font actuellement dans ce domaine. Si vous dormez mieux la tête au nord, c'est peut-être dû à l'effet placebo, mais quel est le problème ?

Eau secours !

Comment parler d'environnement sans parler de la qualité de l'eau ? Premièrement, il est important de devenir conscient que nos réserves d'eau ne sont pas inépuisables et que nous devons tous faire preuve de discernement dans notre façon de l'utiliser. Il nous faut revenir à une action qui était chère aux chamans amérindiens : ne consommer que la quantité d'eau dont nous avons réellement besoin, ni plus ni moins. Et pour ce qui est de la qualité de l'eau à consommer, pour ma part je privilégie les eaux embouteillées < 50 PPM, car les eaux en provenance du robinet ressemblent plus souvent à un cocktail chimique qu'à un breuvage essentiel à la vie.

Quelle eau choisir?	
Eau du robinet	Eau de source
Eau sans bactérie	Eau < 50 PPM
Influence du chlore sur la santé?	Connaître l'origine de la source?
Eau distillée	Eau filtrée
Consommer seulement de l'eau distillée pourrait induire des déséquilibres d'électrolytique.	Osmose inversée Entretien des installations?

Éviter la surconsommation

Si on consomme trop, si on mange trop, si on utilise l'environnement à outrance, il ne pourra en résulter rien de bon. Les grands scientifiques, comme Hubert Reeves, nous mettent en garde contre cette «surutilisation» qui provoque les changements climatiques que l'on connaît. Nous devons tous réviser notre façon de vivre et trouver des solutions qui protègent l'environnement. Et si cette conscience d'appartenir à un Tout est présente dans le concept de santé globale, elle doit l'être encore plus du côté de l'environnement qui menace non seulement la qualité de notre santé, mais la qualité de la vie sur la Terre entière.

Les sages de l'environnement subtil

Déjà en 1928, Edgar Cayce disait que le corps humain est fait de «vibrations électroniques» et que chaque atome, chaque élément du corps, chaque organe possède un taux vibratoire qui lui est propre et qui est nécessaire au maintien de son équilibre. Quand la force d'un organe devient déficient, son habileté à reproduire l'équilibre devient aussi déficiente «énergétiquement parlant». C'est ainsi que les médecins

chinois traditionnels découvrent des lésions dans l'énergie par la prise du pouls chinois avant même que la lésion
n'apparaisse dans la matière, soit dans le corps physique.
Une tendance au cancer de l'intestin pourra par exemple
être détectée plusieurs années avant même que la lésion ne
devienne évidente et mesurable.

Les déclarations du célèbre médium Edgar Cayce ont toujours été la risée des scientifiques jusqu'au jour où, en 1988,
un médecin, le docteur Richard Gerber, a publié un livre intitulé *Vibrational Medicine*, livre qui a eu l'effet d'une véritable
bombe. Selon lui, plutôt que de s'en tenir aux approches
conventionnelles, la médecine vibrationnelle vise à traiter les individus par l'énergie pure. Ce concept est basé sur
l'arrangement moléculaire du corps physique qui est aussi
un réseau complexe d'interactions de champs électromagnétiques d'où émane une énergie subtile coordonnant la force
vitale du corps. Un beau flirt avec l'âme! Le concept de l'holo-
gramme est aussi présent dans cette réflexion, c'est-à-dire le
Tout dans la partie ou la partie dans le Tout. Par exemple,
un virus peut occasionner un mal de gorge chez un individu
et n'avoir aucun effet chez l'autre, la différence réside dans
le terrain de l'individu, c'est-à-dire dans sa réaction globale
au virus.

Est-ce que ma maison est en santé?
Comment la soigner?

Voici les 10 questions « santé » à se poser par rapport à
son habitat.

1. Est-ce que je ressens des maux de gorge ou de l'obstruction nasale le matin?

2. Est-ce que mon sommeil est plus difficile chez moi qu'ailleurs?

3. Suis-je sensible à l'administration de pesticides dans mon environnement?

4. Est-ce que je souffre d'hypersensibilité à l'environnement?

5. Est-ce que je tousse dans certaines parties de la maison?

6. Quel est le niveau de bruit dans mon environnement?

7. Est-ce que mon environnement de sommeil est calme et complètement noir?

8. Est-ce que j'aère ma maison au moins cinq minutes par jour?

9. Est-ce que mon espace est Feng Shui, c'est-à-dire harmonieux, sans encombrement?

10. Est-ce que j'ai un endroit où je me sens mieux et où je peux me détendre?

Que nous enseignent les médecines anciennes sur l'habitat?

Médecine chinoise:

En suivant certaines règles de Feng Shui, votre habitat sera plus harmonieux.

Médecine ayurvédique:

En faisant jouer en « sourdine » la musique des GANDERVA, qui offre des sons harmonieux, vous contribuez à harmoniser votre demeure et les vôtres.

Médecine amérindienne :

Si vous faites brûler de la sauge dans une coquille d'abalone une fois par semaine, vous contribuez à éliminer les influences négatives de votre habitat.

CHAPITRE 6

LA SPIRITUALITÉ

Il y a quelques années de cela, j'ai écrit un article intitulé «Prêtre ou médecin?» qui a été publié dans la revue médicale *Le médecin du Québec*. En introduction, on pouvait lire ceci: «Quel médecin occidental oserait parler de spiritualité à ses patients, à ses clients? Voilà le défi des années 2000.» Pourtant, les médecines de traditions amérindienne, chinoise, tibétaine et ayurvédique utilisent déjà des éléments tels que la quête du sens de la vie, la nature et les rituels depuis des millénaires dans leurs diagnostics et leurs traitements. Explorons maintenant les enseignements contenus dans ces médecines afin de réussir à intégrer certains de ces éléments dans notre médecine scientifique de tous les jours.

La philosophie orientale

En médecine orientale, la spiritualité est perçue comme étant le trait d'union qui permet à l'homme de réunir le ciel et la terre en lui-même. Elle fait partie du vaste mouvement dans lequel on retrouve également les vibrations, les rythmes, les cycles et les saisons, mouvement dans lequel nous baignons continuellement. Dans le contact que nous entretenons avec l'Univers, dans cette grande spiritualité, il y a de la place pour le silence, le retour à soi et la quête d'harmonie, des facteurs qui sont tous importants en guérison. Pour la médecine orientale, la spiritualité est cette clarté, cette conscience intérieure que nous cherchons tous. Le client-patient est placé au centre du processus et le thérapeute lui suggère une responsabilisation.

Mesurer le difficilement mesurable

L'énergie est loin d'être une notion familière pour les scientifiques occidentaux. Ils ont de la difficulté à saisir cette notion d'énergie qui circule dans le corps au niveau des méridiens, des émotions, énergie qui circule aussi au niveau des saisons, de l'alimentation, etc. Le concept de santé globale ou de médecines intégrées est pourtant tissé à même les fibres de cette énergie.

Alors que nos scientifiques questionnent encore ce principe, la médecine orientale a depuis longtemps reconnu qu'un déséquilibre survenant au niveau de cette circulation d'énergie peut expliquer l'apparition de troubles psychologiques et physiques.

L'évaluation électrique des points d'acupuncture nous indique qu'il y a une différence de 0,25 microvolts, soit une énergie faible mais pouvant quand même être détectée, entre le point d'acupuncture et la peau située juste à côté de ce point. De plus, si nous faisons une biopsie dans un point d'acupuncture, nous y découvrirons un plus grand nombre de terminaisons du système nerveux sympathique qu'en d'autres endroits ; ce qui pourrait peut-être expliquer l'action systémique de l'acupuncture.[34]

Cette notion d'énergie s'adresse autant au corps physique qu'aux dimensions émotionnelle, mentale et spirituelle de l'être. De plus, ces quatre niveaux étant tous interreliés, nous pouvons donc dire que la maladie physique peut tirer ses origines d'un déséquilibre situé au niveau de l'énergie.

Le mal à l'âme, le mal du siècle

Le fameux mal à l'âme est souvent la cause de plusieurs maladies, et malheureusement, il est souvent ignoré dans la pratique de notre médecine occidentale. Avouons humblement qu'il est très difficile, voire impensable, de tenter de déceler ce mal de vivre, ce mal à l'âme où le corps souffre et envoie des messages sous forme de symptômes.

Les médecines anciennes comme celles pratiquées par les chamans, les sorciers, les moines, les druides, voire celle de nos grands-mères, sont pratiquées depuis l'apparition de l'être humain sur Terre. Dans toutes ces formes de médecine, le corps et l'esprit ne font qu'un : la philosophie de vie, le contact avec les éléments de la nature et le soutien de la communauté contribuent à favoriser le pouvoir de guérison, ce fameux pouvoir qui nécessite un abandon conscient. En médecine traditionnelle chinoise, il est depuis toujours évident qu'une personne peut créer une lésion au foie aussi bien par une colère non résolue que par une alimentation extrêmement riche et grasse.

D'où l'importance d'équilibrer nos énergies en observant l'attitude que nous entretenons face à la vie, car – toujours selon la médecine chinoise – l'attitude mentale est aussi importante qu'un traitement d'acupuncture, par exemple. Les soins tels que le Chi Qong, le massage ou encore la prise de plantes traditionnelles chinoises illustrent bien le fait que la médecine chinoise est une médecine intégrée qui tient compte aussi bien de l'environnement que de la dimension spirituelle de l'être.

Combien de gens souffrent du mal à l'âme? Prenons par exemple les personnes qui souffrent du syndrome de l'épuisement professionnel et qui ont réussi à retrouver le goût de vivre grâce à des actes simples de la vie: être en contact avec la nature, avec le rythme des saisons, toucher la terre, la cultiver, travailler le bois, regarder un oiseau, simplement être... Voilà autant de conseils qui peuvent aider la personne en proie avec ce mal à retrouver son chemin de vie.

N'existe que ce qui est mesurable

Depuis le dix-huitième siècle, moment où la science a fait son apparition, les médecins pratiquant la médecine contemporaine en sont venus à la conclusion qu'il n'existe que ce qui est mesurable. Comment appliquer cette théorie quand on entre dans le domaine de la spiritualité? Certains médecins se sont penchés sur cette question.

Il y a quelques années, lors d'un congrès sous l'égide du médecin américain Larry Dossey, un groupe de médecins américains a fait le point sur des recherches qui avaient mis en lumière le fait que des personnes qui avaient pratiqué quotidiennement une forme de spiritualité sur une période de dix ans avaient 60% moins de risque de faire une dépression. Ces études mettaient en lumière que la pratique de la méditation ou d'une activité spirituelle amenait une augmentation de la production de l'interleukine-6, un médiateur important du système immunitaire. Le docteur Dossey et son équipe ont par la suite publié un livre qui est devenu un best-seller : *Prayer is a good medecine.*

Prier : la prescription du troisième millénaire

La science commence aujourd'hui à s'intéresser aux activités spirituelles telles que la prière. De plus en plus de médecins américains y ont recours, voire même l'enseignent à leurs clients. La question qui se pose alors est la suivante : « Comment prier ? Que dois-je faire pour commencer à prier ou pour pratiquer une activité spirituelle ? » La réponse est simple : ne rien faire, faire silence, ce qui n'est pas toujours évident pour la personne qui n'a pas développé cette habitude.

Comment apprivoiser le silence alors ? Je recommande régulièrement à mes clients de faire des choses simples : la lecture d'un livre de réflexion ou de poésie, l'observation d'oiseaux, marcher dans la nature, tout ceci étant fait dans une atmosphère de calme, sans nécessairement chercher à apprendre de nouvelles connaissances, mais simplement vivre dans le calme.

Voilà comment j'enseigne la prière à mes clients. Il ne s'agit nullement de se joindre à une secte ou de tomber dans une frénésie religieuse ; il suffit simplement de se calmer, de méditer, de trouver des activités pour mettre le cerveau au repos. Les Orientaux ont trouvé, pour leur part, une manière très simple d'atteindre cet objectif : la répétition d'un mantra. Le mantra est un mot ou une suite de mots qui, répétés à plusieurs reprises, permettent au cerveau de « décrocher » du mental pour retrouver le calme et la sérénité.

Questionner le sens de sa vie

La médecine moderne a cependant trouvé le moyen d'aider les personnes à redonner un sens à leur vie. Pour ce faire, elle les invite à réfléchir sur les questions telles que :

- Où s'en va ma vie ?

- Où suis-je rendu dans mon parcours ?

Voilà le genre de questions que l'on devrait se poser au moins deux fois par année, par exemple durant les périodes de repos telles que les vacances d'été ou d'hiver. Et pourquoi ne pas penser d'une façon globale et, une fois l'an, requestionner notre alimentation, refaire les échelles de stress, vérifier si notre environnement est toujours de qualité et si notre vie va toujours dans la « bonne » direction. Les vacances devraient aussi servir à nous régénérer, à prendre du temps pour alléger notre vie et pour pratiquer des activités spirituelles. Dans cette quête de mieux-être, nous devrions aussi éviter les encombrements, apprendre à vivre plus simplement et apprécier le temps qui passe.

Lorsqu'on parle de spiritualité, il me vient toujours en mémoire l'image du bon vieux médecin de famille qui réconfortait son patient en lui passant simplement une main pleine d'amour dans le dos. N'était-ce pas là un geste empreint de spiritualité ?

Et si la prière et le silence vous irritent, une cure aux raisins peut être indiquée pour mettre le corps au repos et laisser l'esprit faire son temps. Vous aurez ainsi peu de chances de faire de grandes sorties... et le silence viendra...

Cure de raisins
1 livre (450 gr) de raisins verts biologiques
+ 500 ml d'eau

3 fois par jour durant de 2 jours.
(la fin de semaine, par exemple)

SCIENCE ET SPIRITUALITÉ

En 1926, le philosophe sud-africain Jean-Christian Smuts, père du concept holistique, a commencé à questionner la science: «N'existe ce qui est mesurable, l'amour existe et pourtant vous ne l'avez jamais mesuré?». Par la suite, Ivan Illich et de nombreux autres chercheurs sont venus ébranler les assises de la science par leurs questionnements. Ces réflexions ont donné naissance à des études faites sur les énergies de guérison, soit des champs électromagnétiques subtils qui seraient émis lorsque le médecin, le thérapeute ou le guérisseur traite et aide une personne dans son processus de guérison. Parmi ces chercheurs, je peux citer:

- Le docteur Richard Gerber, auteur du livre *Vibrational médecine*, qui a réussi à mettre en lumière l'action des champs électromagnétiques mesurables qui se produisent lors des phénomènes de guérison.

- Valérie Hunt, de l'université de Californie, qui a démontré que les ondes électromagnétiques à haute fréquence parfois émises par le corps de certaines personnes pourraient être reliées à certains phénomènes de guérison.

- Lorna St-Aubin, qui, dans son livre *La guérison: de la tradition à aujourd'hui,* nous apprend que lorsqu'une guérison se produit, le guérisseur et son patient ont des tracés encéphalographiques identiques.

Processus de guérison

1. Thérapeute — Patient
Reçoit

2. Thérapeute — Patient
Réflexion
Centration

3. Thérapeute — Patient
conseils
Plan de soins

4. Thérapeute — Patient
Les deux sont gagnants

5. Nécessité d'évaluer le processus

Il ne doit pas y avoir de fatigue après une consultation; s'il y a fatigue, vous voulez trop donner.

Comment agit le processus de guérison?

Lorsqu'une personne choisit consciemment d'entamer un processus de guérison, elle doit tout d'abord évaluer sa situation actuelle pour ensuite se questionner sur la mise en œuvre d'un plan à suivre. Cette mise en œuvre peut être globale et inclure des activités spirituelles, tout comme elle peut favoriser la mise en action de changements importants qui s'imposent dans sa vie.

Ce plan doit également comprendre l'évaluation du processus avec l'aide du médecin ou du thérapeute. On oublie de vérifier si on est sur la bonne voie, si les bonnes questions sont posées ou si on ne s'est pas leurré inconsciemment. Combien de personnes pensent être sur la voie de la guérison alors qu'elles ont emprunté une voie d'évitement? Le symptôme ou la maladie nous sert bien inconsciemment.

Comment intégrer la spiritualité en médecine?

Comme nous parlons de guérison, je me permets de faire la réflexion suivante. En tant que médecin, il est difficile d'intégrer un concept de santé globale dans notre pratique, nous permettant ainsi de nous centrer sur le patient lui-même plutôt qu'uniquement sur la maladie dont il souffre. Prenons l'exemple d'un patient qui se présente dans un cabinet de consultation. Évidemment, le médecin procède au questionnaire médical habituel: antécédents, habitudes de vie, etc. Mais quand vient le moment d'évaluer si cette personne pratique des activités spirituelles, comment elle définit le sens de sa vie, etc., ce médecin est souvent mal à l'aise.

Si l'examen médical permet de tirer une conclusion, est-ce la bonne? Le médecin ne pourrait-il pas aussi être dans sa propre spiritualité, centré, et utiliser minutieusement les silences pour découvrir les secrets de l'âme de son patient? En tant que professeur à la faculté de médecine, je peux affirmer que c'est ce qui est le plus difficile à enseigner: la pratique du silence dans la relation médecin-patient. L'étudiant ressent souvent un fort malaise quand survient le silence durant une entrevue.

Lors d'un partage empreint de confidences, les silences peuvent devenir très angoissants pour la personne qui n'en a pas l'habitude. Mais en même temps, ces silences sont des voies royales donnant accès à la découverte de l'âme du patient, et souvent même à la découverte de celle du médecin ou du thérapeute.

Peu importe la quête spirituelle dans laquelle nous sommes engagés, il faut suivre la route qui mène à soi, et à ce titre, la pratique du silence devient une alliée de grande valeur. Un minimum de 20 minutes de silence par jour peut nous permettre de découvrir notre voie et qui sait… peut être de tomber en amour avec soi.

Des choses merveilleuses peuvent arriver dans cette pratique de la guérison. Un tel exercice peut s'appliquer à tout individu qui entre en relation d'aide. Le docteur Deepak Chopra dit justement à cet égard que lorsqu'on atteint le niveau de l'esprit, on n'est pas seulement un être humain qui vit des expériences spirituelles occasionnelles, mais un être spirituel qui vit occasionnellement des expériences humaines.

Voici quelques suggestions pratiques, voire même des prescriptions, à suivre chaque jour de notre vie :

- **Vivre au présent,** éviter de trop anticiper le futur.

- **Prendre des moments de silence** pour se régénérer au quotidien.

- **Écouter,** car bien écouter les autres, c'est se trouver dans un mode d'échange et non de don continuel.

- **Revenir à la nature,** à ses rythmes, à ses rites et à ses cycles.

- **Entendre son corps** quand il souffre, écouter son intuition. Le corps est un grand maître, écoutez-le !

- **Pratiquer le lâcher-prise.**

- **Utiliser ses rêves** pour mieux comprendre le sens de sa vie.

- **Écrire quand on ne peut pas dire :** écrire son journal intime permet parfois de trouver des pistes de solutions.

À ce stade, j'aimerais vous proposer une réflexion tirée d'un poème chinois qui nous place en pleine spiritualité. Il est extrait du livre intitulé *Le maître est parti cueillir des herbes*, traduction de l'œuvre originale de *Cheng Wingfia*, un recueil de poèmes de niveau spirituel élevé. C'est l'histoire des étudiants-apprentis qui cherchent le maître ; chaque fois qu'ils cognent à sa porte, le serviteur leur répond : «Le maître est parti cueillir des herbes dans la montagne, les nuages sont profonds, on ne sait où il est, il revient toujours quand le soleil décline, toute la journée je regarde la montagne sans cesser de me verser à boire…». La lecture de cet ouvrage nous montre que pour trouver ce fameux maître, nous devons en tout premier lieu regarder en nous-mêmes.

CHAPITRE 7

LA GÉNÉTIQUE

Toujours dans le but d'apprendre à mieux nous connaître pour mieux guérir notre vie, le concept de santé globale nous enseigne l'importance de faire notre bilan en répertoriant les faiblesses héréditaires qui étaient présentes chez nos ancêtres. Pour être encore plus pertinent, ce bilan peut être fait à deux niveaux, soit au niveau physique et au niveau émotif :

- Y avait-il du diabète dans la famille, de l'hypertension, etc.?

- Nos ancêtres étaient-ils des personnes colériques, anxieuses, etc.?

- Quels sont les événements marquants qu'ils ont vécus?

- Quelles étaient les valeurs reconnues dans ces familles?

- Quelle était la relation à l'argent?

Il s'agit de poser des questions pour réussir à aller le plus loin possible dans notre compréhension du genre de vie qu'ont menée ceux qui nous ont précédés.

Prenons l'exemple de l'anxiété. Elle peut avoir été transmise d'une génération à une autre à la suite d'une déficience située au niveau des neurotransmetteurs. L'individu qui pourra comprendre cette faiblesse assez tôt dans sa vie sera en mesure de prévenir des problèmes éventuels de dépression pouvant même aller jusqu'au suicide. Ou encore, si notre bilan met en lumière une tendance au diabète, pour contrer cette faiblesse, nous aurons intérêt à porter une attention toute particulière aux paramètres de notre vie qui sont reliés à l'alimentation, au mouvement, au stress et à la spiritualité.

Je vous entends déjà me dire : «Doc, je peux comprendre pourquoi une faiblesse au niveau du diabète nous demande d'être plus vigilants en ce qui concerne notre alimentation et notre façon de faire de l'exercice. Mais comment la gestion du stress et la quête spirituelle peuvent-elles m'aider à contrôler mon diabète ?»

En médecine traditionnelle chinoise, ce rapport ne fait aucun doute. Si les méridiens de la rate et du pancréas sont en difficulté – ce qui arrive chez les personnes souffrant de diabète – cela signifie que ces personnes ont plus de facilité à donner qu'à recevoir et qu'elles ont de la difficulté à dire non. De ce déséquilibre émotif, en plus d'une faiblesse physique il en résulte un déséquilibre énergétique qui se traduit par des troubles de la gestion du sucre dans le sang (hypoglycémie ou hyperglycémie). C'est pourquoi, toujours en médecine chinoise, le traitement des problèmes reliés au diabète ou à l'hypoglycémie passe automatiquement par une prescription du genre : «Une bonne dose d'amour de soi accompagnée d'une double dose de protection de soi». Ainsi le contrôle de la maladie pourra être facilité avec l'alimentation et la prise de médicaments.

Plus une personne sera centrée, plus elle aura de facilité à suivre une diète et à intégrer un programme d'exercices dans sa vie. De plus, le fait d'être en contact avec ses intuitions la guidera vers ce qui est bon pour *elle*. Tout se tient.

La notion de terrain

Dans le domaine des médecines alternatives et complémentaires, nous sommes souvent confrontés à la notion de «terrain». *Le terrain* est en quelque sorte un code génétique élargi. Il englobe notre constitution (longiligne, trapue) et nos réactions biologiques, psychologiques et environnementales. Dans le concept de **guérir sa vie**, connaître notre *terrain* nous permet d'identifier plus facilement quels sont nos points faibles, donc d'être en mesure de réagir plus adéquatement lorsque survient une période plus difficile (stress intense, divorce…), période durant laquelle il peut se produire une attaque à ce niveau. Par exemple, si notre point faible est l'estomac et que nous vivons un stress important, il ne serait pas surprenant que le stress s'extériorise sous forme de crampes ou de digestion lente avec reflux.

Bilan des ancêtres

Je suggère donc à tous mes clients qui entreprennent une démarche en santé globale de faire le bilan de leurs ancêtres. Ce bilan se fait généralement par l'analyse des trois générations qui nous ont précédés. Il nous faut non seulement étudier ces générations au plan génétique, mais aussi saisir la toile de fond sur laquelle s'est inscrite l'histoire de nos ancêtres. Ce bilan pourra nous aider à clarifier certains des problèmes que nous rencontrons encore aujourd'hui dans notre vie. Le recours à des généalogistes ou à des psychogénéalogistes peut, à ce titre, s'avérer fort utile pour faciliter nos recherches.

CHAPITRE 8

De la théorie à la pratique

Voici des histoires de vie qui illustrent bien la mise en application du concept de santé globale. Dans un processus de guérison, toutes les facettes doivent être analysées; très souvent, l'une de ces facettes deviendra prépondérante dans le déroulement du processus.

Première histoire de cas

Un psychiatre me réfère une dame de 65 ans pour une évaluation selon le concept de santé globale. Cette dame souffre de dépression depuis maintenant deux ans. Les traitements aux antidépresseurs et la psychothérapie restent sans succès et on ne note que peu d'événements qui puissent expliquer qu'elle vive cette situation dans sa vie.

DIAGNOSTIC : DÉPRESSION

Voici ce que nous avons entrepris avec cette dame :

Alimentation :   Choisir une alimentation vivante
et équilibrée. Prendre des suppléments

	de vitamines du complexe B, calcium-magnésium et oméga 3.
Stress :	Compléter les questionnaires d'échelles de stress.
Mouvement :	Marcher 1 heure/jour dans la nature.
Environnement :	Faire évaluer la maison par un groupe d'experts en évaluation de l'environnement.
Spiritualité :	Lire le livre *La guérison est en soi* de Denis Jaffé, aux éditions Laffont.
Génétique :	Sans particularité.

Le groupe d'évaluation en environnement découvre qu'il y a un mauvais contact sur la commande du téléviseur, ce qui fait qu'il s'en dégage une charge électromagnétique importante. L'histoire de cette dame nous apprend que, par crainte que son conjoint ne syntonise les chaînes sportives, elle garde la télécommande dans ses mains jusqu'à six heures par jour. La télécommande est donc réparée et un consensus est établi entre les deux conjoints. Deux mois plus tard, les symptômes de dépression s'atténuent (90 %) et la prise d'antidépresseurs est diminuée graduellement. Le suivi médical est poursuivi en psychiatrie et la cliente a ajouté des séances de massothérapie à son traitement. Dans ce cas, cinq des indicateurs du concept de santé globale ont dû être mis en application.

Deuxième histoire de cas

Un jour, une de mes clientes, alors âgée de 42 ans, me téléphone en urgence pour me demander de l'accompagner dans les derniers moments de sa vie. Elle est en phase terminale d'un cancer du sein.

Comment expliquer qu'une femme ayant de très beaux principes de vie, végétarienne et vivant dans un environnement « santé » à la campagne puisse mourir d'un cancer du sein à l'âge de 42 ans?

À mon arrivée à son chevet, elle me dit : « Je ne comprends toujours pas ce qui m'arrive. J'ai vécu une vie harmonieuse avec un conjoint aimant, des enfants que j'aime et qui m'aiment; j'ai toujours fait attention à mon alimentation et j'ai vécu très près de la nature, donc loin du stress.» J'avais bien une idée de la réponse à son questionnement, mais dans un tel cas, mieux vaut laisser la personne trouver sa réponse par elle-même. Je lui propose alors une courte méditation. Au bout d'une heure, elle me dit simplement : « J'ai compris. J'ai oublié d'avoir du « fun » dans la vie; j'ai été trop souvent dans « ma tête » et mon cœur en a souffert.» Quelques minutes plus tard, elle rendait sereinement son dernier souffle. Pour elle, la mort a été la voie de sa guérison.

La maladie nous place très souvent à une croisée des chemins où « changer » et « mourir » deviennent des avenues de guérison faisant partie d'un tout indissociable.

Troisième histoire de cas

Un homme de 48 ans vient me consulter pour des problèmes de ballonnements et de brûlements d'estomac. Après lui avoir passé tous les tests, le gastro-entérologue ne trouve rien. Je pose alors la question suivante à mon patient: «Quand apparaissent ces troubles?» L'homme me répond: «Le soir au repas.»

En poursuivant mon évaluation, j'apprends qu'il soupe avec son épouse, une femme dont il ne *digère* plus la présence depuis de nombreuses années. Quelques mois plus tard, le couple se sépare et les troubles digestifs de monsieur disparaissent... Le stress et la spiritualité étaient les points à questionner dans le concept de santé globale.

Quatrième histoire de cas

Une femme de 44 ans vient me consulter à la suite d'un diagnostic de cancer du colon sans métastase. Elle veut avoir une opinion selon le concept de santé globale. Après avoir relu le dossier, voici l'application du concept de santé globale que je lui ai conseillé :

Alimentation : Choisir une alimentation vivante et biologique, si possible. Prendre des antioxydants (fruits, légumes ou compléments).

Stress : Faire le bilan des irritants qui sont présents dans sa vie, compléter les échelles de stress et agir pour intégrer ou régler ces stress. Il faut se rappeler ici qu'en période de stress intense, les systèmes de défense sont moins performants. Je lui suggère aussi le training autogène.

Mouvement : Faire de l'exercice : amorcer en elle-même un mouvement intérieur qui lui donnera le goût de marcher et de s'oxygéner. À ce stade, des exercices respiratoires sont souvent recommandés (exemple : 6-3-6).

Environnement : Faire évaluer la maison par un groupe d'experts en évaluation de l'environnement. Dans son cas, aucune anomalie n'a été détectée.

Spirituel :   Questionner le sens de sa vie,
amorcer un processus de prière
ou de méditation pour atteindre
l'état d'abandon conscient essentiel
à la guérison. Lire le livre *La guérison
est en soi* de Denis Jaffé, aux éditions
Laffont. Chercher un moyen
de contacter son âme à travers
l'humour, la musique et l'art.

Génétique :   Je l'invite à prendre conscience
qu'il y a deux cas de cancer du colon
dans sa famille et que plusieurs
conflits non réglés sont encore
en suspens, donc cause
de souffrances. Elle est referée
en psychogénéalogie.

Dans ce cas, 5 indicateurs sur 6 sont touchés.

Cinquième histoire de cas

Un chef d'entreprise de 55 ans consulte pour des troubles du sommeil, de la fatigue, de la fébrilité et de l'irritabilité. Il note de plus une perte d'intérêt dans la vie et une baisse de sa libido. L'histoire médicale et l'examen physique nous montrent un homme avec un léger surpoids, une tension artérielle légèrement élevée et un bilan lipidique (cholestérol) perturbé. Dans ce cas, le bilan médical doit être fait avant de passer au concept de santé globale.

Le bilan nous donne :

- Cholestérol élevé

- Triglycérides élevés

- Testostérone normale

- DHEA sous la normale. (Indiquant une fatigue des glandes surrénales)

Le questionnaire de stress permettant d'évaluer son comportement, le DSM IV (Guide médical diagnostique des maladies psychologiques), nous indique un syndrome d'épuisement professionnel. Comme cet homme refuse toute médication, voici ce que je lui propose au niveau du concept de santé globale en plus d'un suivi en psychologie.

Ici, les six indicateurs de santé seront sollicités.

Alimentation :   Choisir une alimentation vivante et biologique, si possible. Prendre des suppléments de vitamines B (complexe), calcium 300 mg, magnésium 200 mg 2 fois par jour et oméga 3 1000 mg par jour.

Stress :	Faire le bilan des irritants présents dans sa vie, compléter les échelles de stress et agir pour intégrer ou régler ces stress. Je lui suggère le training autogène ainsi qu'un programme de musique relaxante.
Mouvement :	Marcher et faire de l'exercice, tous deux reconnus comme de bons antidépresseurs naturels.
Environnement :	Éloigner son radio réveil-matin à plus de deux pieds de la tête de son lit et sortir la télévision de sa chambre à coucher.
Spiritualité :	Questionner le sens de sa vie. Pratiquer le silence pour découvrir ce qui le préoccupe. Établir le contact avec la nature et cultiver le goût de travailler le bois.
Génétique :	Déjà trois personnes ont fait des dépressions majeures dans sa famille. Il devra donc être vigilant et se mettre à l'écoute des messages de son corps.

Les approches en médecines alternatives et complémentaires

Médicale : Investigation
Aucun médicament pour l'instant

Autres : Acupuncture : 1-2 fois par semaine
pour renforcir le Yin

Massothérapie : 1 fois par semaine

Phytothérapie : – millepertuis
– valériane

Les 10 commandements pour guérir sa vie

Voici les dix commandements qui sont remis à plusieurs de mes clients. Apprendre à les intégrer dans notre vie, c'est vivre pleinement le concept de **guérir sa vie**, c'est la plus belle forme de prévention qui soit !

1) *Vivre le moment présent – la verticalité*

2) *Le silence pour se régénérer*

3) *Les autres pour échanger*

4) *La nature pour s'inspirer*

5) *Écrire son journal*

6) *Entendre son corps*

7) *Écouter son intuition*

8) *Rêver – prendre contact avec l'inconscient*

9) *Lâcher prise*

10) *Retrouver le grand Maître : la nature*

Et la prescription finale : tomber en amour avec soi !

La vie est comme une «lemniscat», c'est-à-dire le huit couché.

Nous sommes toujours en mouvement vers quelque chose qu'on nomme l'évolution. À un moment donné, nous sommes sur la pente positive du 8 et tout va bien. Un passage au point neutre ou encore sur la pente négative peut survenir en tout temps. Il arrive des moments dans la vie où nous passons par des bonheurs ultimes, ce que j'appelle l'extase. Et ce sont ces moments précis que nous devons saisir pour entrer en contact avec la Vie ou la guérison. Certains parlent d'une mince porte d'un moment, d'un état de conscience qui est capable de faire basculer la maladie vers la guérison. Le tout se produit quand la trame de fond qui soutient le concept de guérir sa vie est pleinement vécue : vivre le moment présent !

CONCLUSION

Le but de ce livre est de vous aider à découvrir que le meilleur médecin qui puisse exister pour vous n'est nul autre que vous-même. Vous devez apprendre à devenir votre propre maître, à vous faire confiance à travers les prescriptions qui vous sont indiquées et les conseils qui vous sont donnés, pour finalement arriver à la prescription ultime que je vous ai déjà proposée à plusieurs reprises dans ce volume : **tomber en amour avec vous**, réellement ; vous donner le temps d'écrire, le temps de rire, le temps de chanter, de trouver une poésie qui vous habite, une vraie poésie de la nature.

La guérison passe aussi par la pratique de la spiritualité ultime : le lâcher-prise. L'espace de guérison est une fenêtre qui apparaît une fois que l'on a réussi à franchir cette étape et que l'on arrive dans cet espace sacré où tout devient possible. Le lâcher-prise fait appel à l'abandon conscient. Il rejoint la trame de fond de ce livre, soit la conscience de ce tout petit fil invisible qui relie chacun de nous à l'Univers. Et rappelez-vous que la vie n'a de prix que si la mort existe ! À vous de choisir de la vivre pleinement !

RÉFÉRENCES

1. BÉLIVEAU, Robert, LAFLEUR, Jacques, *Les quatre clés de l'équilibre personnel*, Montréal, Éditions Logique.

2. BENCEL Dr, *Guide pratique de musicothérapie*, Paris, Éditions Dangles, 1987.

3. BENSABAT, Dr Soly, *Le stress c'est la vie*, Éditions Livre de poche, 1989.

4. BORSARELLO, J., *Acupuncture*, Masson, 1981.

5. BRUNET, Henri, *Guide de relaxation*, Éditions Du Seuil, 1996.

6. CHENG, Richard, SHING, Sov, *Mechanisms of electro puncture analgesia as related to endorphins and mono-amines (These)*, Toronto, 1980, University of Toronto.

7. CHENG, Wing fun, COLLET, Hervé, *Le maître est parti cueillir des herbes*, Éditions Moundarren, 2001.

8. CHOPRA, D., *La santé parfaite*, ALTESS, 1990.

9. CLÉMENT, Jocelyne, *L'imagerie mentale*, Éditions du 3ᵢᵉᵐᵉ milliénaire, 1991.

10. COMBY, Bruno, *Stress-Control*, Paris, Éditions Dangles, 1988.

11. Comission E. *Herbal medicine.* Blumenthal 2000. CULTER, Howard, Sainteté le Dalaï-lama, *L'art du bonheur*, Paris, Éditions Robert Laffont, Paris, 1999.

12. DEFONTAINE, J., *Psychomotricité et relaxation*, Éditions Maison, 1979.

13. DIAMOND, Dr J., *L'énergie de vivre*, Le Souffle d'Or, 1986.

14. DOSSEY, Larry M.D., *Prayer is good medecine*, Éditions Copyright, 1996.

15. DROUIN, Berengère A., *Les médecines de la nature*, Sélection du Reader's Digest, 2003.

16. DROUIN, Jean, DUGUAY, Raoul, *La santé par le rire*, Cassette audio, 1995.

17. DROUIN, Jean, Musique ou médicament ?, *Le médecin du Québec, Février*, 1995.

18. DROUIN, Jean, m.d. *Stress et santé : une approche globale*, Accès P.A.E Inc.

19. EBERTEM, Dr Gisela, *Guide pratique au training auto-gène*, Éd. Retz, 1980.

20. ESSALET, Dr J.M. & AL, *Diététique énergétique & méde-cine chinoise, Ed. Présence*, 1984.

21. *Essentials of chinese acuponcture*, Foreign languages press, 1980, Beijing, China.

22. FAVREAU, Marc, *Sol faut d'la fuite dans les idées!*, Montréal Éditions, Stanké, monologue, 1993.

23. FRETROW, CW., *Complementary and alternative medi-cines*. Shinghouse, 1999.

24. GERBER, R., *Vibrational medecine*, New choices, 1988.

25. GRÜN, Anselm, *Invitation à la sérénité du cœur*, Éditions Albin Michel, Paris, 2002.

26. HANSON, Peter G., *Stress et succès*, Montréal, Éditions de l'homme.

27. JAFFE, Denis, La guérison est en soi, Paris, Éditions Laffont.

28. JOHNSON, Spencer, *Qui a piqué mon fromage*, Éd. Michel Lafont, 1998.

29. KIRSTE, Alix, *Le stress*, Coll. Robert Laffont, 1986.

30. KONOP, R., *Her-drug interaction. Patient Care*, October 2003.

31. KUC, Michel, *L'Autosabotage*, Éd. LE jour, 1993.

32. LAFLEUR, Jacques (psychologue), BÉLIVEAU, Robert (médecin), *Les quatre clés de l'équilibre personnel, Quand il faut soigner sa vie*, Éditions Logiques, Montréal, 1994.

33. LAMONTAGNE, Dr Yves, *Techniques de relaxation*, Éd. France Amérique, 1982.

34. LANGUIRAND, Jacques, *Prévenir le bum-out*, Montréal, Éditions Héritage, 1987.

35. LEMAIRE, Dr L. G., *La relaxation*, Éd. Pavot, 1964.

36. MACIOCIA, Giovanni, *La pratique de la médecine chinoise*, Satas, 1997.

37. NEDD, Kenford, M.D., *Power over stress*, Ed. QP press, Canada, 2003.

38. NIBOYET J.E.H. & AL, *Gynécologie obstétrique thérapeutique par acupuncture*, Ed. MEDSI, 1981.

39. PAQUETTE, Claude, *Analyse de ses valeurs personnelles*, Éd. Québec Amérique, 1982.

40. PELLETIER, Dr Kenneth, *Le pouvoir de se guérir ou de s'autodétruire*, Montréal, Éd. Québec Amérique, 1984.

41. PELLETIER, K.R., *La médecine holistique*, Éd. Du Rocher, 1982.

42. RENAUD, Dr Jacqueline, *Guide anti-stress*, Éd. Marabout, 1990.

43. SAINT-ARNAUD, Yvon, *La guérison par le plaisir*, Montréal, Éd. Novalis, 2002.

44. SCHULTZ, J.H., *Le training autogène*, P.U.F., 1958.

45. SERVAN-SCHREIBER, David, *Guérir*, Éd. Robert Laffont, Paris, 2003.

46. TOLLE, E., *Le pouvoir du moment présent*, Ariane, 2000.

47. WEGSCHEIDER-CRUSE, Shaaron, *Apprendre à s'aimer*, Éd. Modus Vivendi, 1994.

48. ST-AUBYN, Loma, *La guérison: de la tradition à aujourd'hui*, Éd. Le souffle d'or, 1983.

49. TREVOUS, R., *Interaction ente les pantes médicinales et la médecine traditionnelle*, Actualité reproductrice humaine 2000 : VII, n° 1, 28-32.

50. VESTER, Frederic, *Vaincre le stress*, Éd. Delachaux et Nestlé, 1976.

51. YWAHOO, Dhyani, *Sagesse Amérindienne*, Éd. Le jour, Montréal, 1987.

Pour rejoindre l'auteur, le lecteur est invité à écrire à l'adresse électronique suivante :

drouin13@aol.com

Vous pouvez lire régulièrement les chroniques de Jean Drouin sur la santé dans le magazine VIVRE (pour informations, consultez le site www.magazinevivre.com ou écrire à redaction@magazinevivre.com).

Ce livre a été imprimé sur du papier entièrement recyclé.